Exerçons-nous

Révisions 3

350 exercices
Niveau avancé

Ross STEELE, Jane ZEMIRO

http://www.fle.hachette-livre.fr

Dans la même collection

Exerçons-nous

Titres parus ou à paraître

Pour chaque ouvrage, des corrigés sont également disponibles.

- **Grammaire**
  (350 exercices)
  - *niveau débutant (**nouvelle édition**)*
  - *niveau moyen (**nouvelle édition**)*
  - *niveau supérieur I*
  - *niveau supérieur II*
- **Conjugaison**
  (350 exercices)
- **Révisions** (350 exercices)
  - *niveau 1*
  - *niveau 2*
  - *niveau 3*
- **Vocabulaire**
  (350 exercices)
  - *Vocabulaire illustré niveau débutant*
  - *Vocabulaire illustré niveau intermédiaire*
  - *niveau avancé*
- **Phonétique** (350 exercices)
  avec 6 cassettes

Grammaire du Français

Cours de Civilisation française de la Sorbonne

Y. Delatour, D. Jennepin, M. Léon-Dufour, A. Mattlé-Yeganeh, B. Teyssier

Maquette de couverture : Version originale
Maquette intérieure : Joseph Dorly éditions
Dessins : Valérie Le Roux
ISBN : 2-01-017767-3
ISSN : 114 2-278 X

Sommaire

À la fin de chaque unité, MISE EN PLACE propose des stratégies communicatives.

Avant-propos

Révisions 3, 350 exercices s'adresse aux étudiants de niveau moyen-avancé. C'est le dernier manuel d'une série qui comporte *Révisions 1*, niveau débutant et *Révision 2*, niveau moyen.

Dans les dix unités de *Révisions 3*, on continue la révision systématique des structures grammaticales et des actes de parole qui sont étudiés dans les méthodes actuelles. On revoit la concordance des temps en progressant de la phrase simple à la phrase complexe. De plus, on aborde la stylistique.

Chaque unité met en place des situations de communication où sont révisés les éléments grammaticaux, lexicaux et stylistiques. L'unité se divise en trois parties : FAÇONS DE DIRE, GRAMMAIRE, et MISE EN PLACE. La partie FAÇONS DE DIRE propose des actes langagiers dans des contextes variés qui développent la capacité de choisir le registre approprié selon l'objectif du discours. Dans la partie GRAMMAIRE, on révise des structures grammaticales plus complexes et on revoit de façon systématique des actes de parole. Un bref résumé du fait de langue, figurant dans la marge, présente les informations nécessaires pour comprendre le fonctionnement de la structure à réviser. Chaque exercice commence avec un exemple qui illustre clairement la transformation à faire dans l'exercice. La MISE EN PLACE est l'occasion de faire la synthèse des éléments présentés dans l'unité et permet de s'exprimer de façon plus autonome.

Des documents authentiques et des activités diverses mettent en jeu différents genres du discours parlé et écrit.

Les TESTS D'AUTO-ÉVALUATION placés à la suite des unités 3, 7 et 10 font le point des acquisitions linguistiques et communicatives.

Dans un livret à part, les *Corrigés* des unités et des tests permettent la révision immédiate des structures mal assimilées et favorisent l'autonomie de l'apprentissage, facteur essentiel dans le développement réussi de la compétence de communication.

1

La mise en relief

FAÇONS DE DIRE

- *Exprimer des sentiments*

GRAMMAIRE

- *Les différents procédés de la mise en relief*
  - *c'est ... qui, c'est ... que*
  - *ce sont ... qui, ce sont ... que*
  - *les pronoms toniques*
  - *ce qui / ce que ... c'est*

MISE EN PLACE

- *Une mère irritée s'adresse à ses enfants*
- *Interview d'un cinéaste célèbre*
- *Trop de circulation dans le quartier*

1. Exprimer des sentiments.

Pour chaque sentiment indiqué, trouvez dans la liste ci-dessous les deux phrases qui servent à l'exprimer.

Ce n'est pas grave. / Aujourd'hui, j'ai un moral d'acier / Quelle bonne surprise ! / C'est génial, ce poème ! / Je suis folle de joie ! / Ça va à merveille ! / Qu'est-ce que j'ai rigolé ! / Oh, j'adore ça ! C'est délicieux / C'est drôle ! / Eh bien, ça alors, je n'en reviens pas ! / Je suis ravie. C'est parfait. / Comme vous voulez.

a. la bonne humeur → ....

b. le contentement → ....

c. l'enthousiasme → ....

d. l'amusement → ....

e. la surprise → ....

f. la résignation → ....

2. Même exercice.

Ah non, ça suffit ! / Quelle désillusion ! / Ça m'écœure. / Où peut-elle bien être ? / Je suis d'une humeur massacrante. / J'ai le cafard. / Ça m'inquiète vraiment. / Dommage ! / J'en ai ras le bol. / Ça m'ennuie. / C'est trop lent ! Plus vite ! / Je suis de mauvais poil ce matin. / Ça me casse les pieds ! / Je trouve ça dégueulasse ! / Je ne sais pas ce que j'ai. / Je suis indignée.

a. la mauvaise humeur → ....

b. le mécontentement → ....

c. l'irritation → ....

d. l'abattement → ....

e. l'ennui → ....

f. l'inquiétude → ....

g. le dégoût → ....

h. la déception → ....

3. Réemployez les expressions ci-dessus.

À l'aide des expressions déjà vues, répondez par oui ou par non aux questions suivantes :

a. Tu vas bien ce matin ?

– (oui) ....

– (non) ....

b. Tu as l'air abattu, qu'est-ce qui se passe ?

– (oui) ....

– (non) ....

c. Alors ce gâteau, qu'est-ce que tu en dis ?

– (oui) ....

– (non) ....

d. Ça t'a posé un problème, la grève des transports ce matin ?

– (oui) ....

– (non) ....

4. Français familier et français standard.

Trouvez l'équivalent en français familier des phrases suivantes exprimées en français standard :

a. Je suis de mauvaise humeur. → ....

b. J'en ai assez ! → ....

c. Je suis déprimé. → ....

d. Ça m'ennuie. → ....

e. C'est excellent, ce poème. → ....

f. Je trouve ça dégoûtant. → ....

g. Qu'est-ce que j'ai ri ! → ....

GRAMMAIRE

1. Transformez les phrases. Mettez en relief le sujet du verbe.

Ta photo,
c'est une belle réussite.

Exemple : *Marie-France est la copine de Bruno.*
→ Marie-France, c'est la copine de Bruno.
Marie-France et Juliette sont les copines de Bruno.
→ Marie-France et Juliette, ce sont les copines de Bruno.

a. Édith Piaf était une chanteuse très célèbre à son époque.

→ ....

b. Ce jeune joueur de tennis sera un champion un jour.

→ ....

c. Tes photos seront de vrais chefs-d'œuvre.

→ ....

d. René et Jannick étaient mes amis les plus fidèles.

→ ....

e. Les roses rouges sont les plus belles fleurs.

→ ....

Elle est jolie, ta photo.

2. Transformez les phrases. Mettez en relief le sujet du verbe.

Exemple : *Tu trouves mon portrait réussi ?*
→ Oui, il est réussi, ton portrait !

a. Tu trouves ton travail intéressant ? → ....

b. Tu trouves son roman bien écrit ? → ....

c. Vous trouvez votre maison spacieuse ? → ....

d. Vous trouvez nos enfants difficiles ? → ....

e. Vous trouvez leurs idées intéressantes ? → ....

Ta photo, je l'ai prise hier.

3. Mettez en relief le complément du verbe.

Transformez les phrases. Faites attention à l'accord du participe passé, quelquefois.

Exemple : *J'ai vu la pièce hier soir.*
→ La pièce, je l'ai vue hier soir.

a. Il a écrit cette comédie l'année dernière.

→ ....

b. Je prendrai mes vacances dans un mois.

→ ....

c. Nous avons admiré le jeu des comédiens.

→ ....

d. J'achetais le journal chaque matin.

→ ....

e. J'ai rencontré les auteurs au théâtre hier soir.

→ ....

f. Il a publié ces nouvelles récemment.

→ ....

Ta photo, je m'en souviendrai.

4. Transformez les phrases. Mettez en relief le complément du verbe.

Exemple : *Il faut se débarrasser de ces livres.*
→ Ces livres, il faut s'en débarrasser !

a. Il faut s'occuper de ces tableaux précieux.

→ ....

b. J'ai envie de cette cassette.

→ ....

c. On se souviendra de ce musée.

→ ....

d. Nous avons besoin de ces conseils.

→ ....

e. Il faut se débarrasser de ces brochures inutiles.

→ ....

5. Mettez en relief le sujet du verbe, puis le complément d'objet direct.

C'est … qui
C'est … que
Ce sont … qui
Ce sont … que

Exemple : *Marie-Thérèse a fait une présentation superbe hier.*
→ C'est Marie-Thérèse qui a fait une présentation superbe hier.
→ C'est une présentation superbe qu'a faite Marie-Thérèse hier.

Marie-Thérèse et Jérôme ont fait une présentation superbe hier.
→ Ce sont Marie-Thérèse et Jérôme qui ont fait une présentation superbe hier.
→ C'est une présentation superbe qu'ont faite Marie-Thérèse et Jérôme hier.

a. Bertrand a prononcé un éloge chaleureux de l'invité d'honneur.

→ ....

b. Ce sculpteur dessinera un monument ultra-moderne.

→ ....

c. Ce film étranger a obtenu la Palme d'or à Cannes.

→ ....

d. François écrivait un livre de « série noire » au moment de sa mort.

→ ....

e. Ce jeune pianiste compose une musique très originale.

→ ....

f. Ces deux villes ont instauré des échanges culturels très fructueux.

→ ....

6. Transformez les phrases. Mettez en relief l'expression du temps ou du lieu.

Exemple : *Je vais voir cette exposition aujourd'hui.*
→ C'est aujourd'hui que je vais voir cette exposition.

Je suis née / Paris
→ C'est à Paris que je suis née.

a. Je pense faire mes courses demain.

→ ....

b. Vous aurez vos billets dans deux jours.

→ ....

c. J'ai grandi / Reims

→ ....

d. J'ai fait mes études / la France

→ ....

e. Nous nous sommes reposés le week-end dernier.

→ ....

f. J'ai voyagé avec ma famille / l'Afrique

→ ....

g. Ils se sont rencontrés en 1992.

→ ....

h. J'ai rencontré mon mari / le Japon

→ ....

i. On aura terminé à trois heures.

→ ....

j. J'ai élevé mes enfants / les Antilles

→ ....

k. Elle aurait préféré déménager le mois prochain.

→ ....

l. J'ai passé mes jours les plus heureux là-bas.

→ ....

Moi, je	Nous, nous Nous, on
Toi, tu	Vous, vous
Lui, il	Eux, ils
Elle, elle	Elles, elles

7. Transformez les phrases. Mettez en relief le sujet du verbe.

Exemple : *Je vais en France visiter les musées.*
→ Moi, je vais en France visiter les musées.

a. Tu as quitté ton pays pour connaître d'autres horizons.

→ ....

b. Il part à l'étranger pour faire du tourisme.

→ ....

c. Elle parcourra l'Europe du nord au sud.

→ ....

d. Nous allions dans le Midi de la France pour les festivals d'été.

→ ....

e. Ils ont passé un mois en Irlande l'été dernier.

→ ....

8. Transformez les phrases suivantes. Mettez en relief le sujet du verbe.

C'est moi *qui* fais ça.
C'est nous *qui* faisons ça.
C'est moi *qui* ai fait ça.
C'est nous *qui* avons fait ça.
C'est moi *qui* viens.
C'est nous *qui* venons.
C'est moi *qui* suis venu(e).
C'est nous *qui* sommes venu(e)s.

Exemple : *Je fais cela.*
→ *C'est moi qui fais cela.*

Nous venons vers huit heures.
→ *C'est nous qui venons vers huit heures.*

a. Je voudrais avoir le rôle principal.

→ ....

b. Vous préparerez le programme demain.

→ ....

c. Tu portais un béret basque.

→ ....

d. Il met en scène des spectacles très amusants.

→ ....

e. Nous allons faire un reportage sur la soirée.

→ ....

Exemple : *J'ai fait une étude de la région.*
→ *C'est moi qui ai fait une étude de la région.*

f. Nous avons rédigé l'histoire de ce village.

→ ....

g. Tu as publié un document extraordinaire.

→ ....

h. Vous avez écrit ce magnifique poème.

→ ....

i. Elle a cherché la source des références.

→ ....

j. J'ai illustré le texte du livre.

→ ....

Exemple : *Je suis venu(e) présenter les prix.*
→ *C'est moi qui suis venu(e) présenter les prix.*

k. Je suis restée à la gare.

→ ....

l. Elle est partie dans un taxi.

→ ....

m. Vous êtes arrivée juste avant moi.

→ ....

n. Tu es allé préparer les boissons.

→ ....

o. Nous nous sommes couchés très tard.

→ ....

C'est elle *que* j'adore.
C'est lui *que* je n'aime pas.
Ce sont elles *que* j'adore.
Ce sont eux *que* je n'aime pas.

9. Transformez les phrases. Mettez en relief le complément d'objet direct.

Exercice : *Je t'invite avec plaisir.*
→ C'est toi que j'invite avec plaisir.

a. Je te remercie beaucoup.

→ ....

b. Il me salue rarement.

→ ....

c. Nous n'avons pas souvent vu notre fille, cet été.

→ ....

d. Vous n'avez pas connu les frères Roussel ?

→ ....

e. Tu ne les trouves pas drôles ?

→ ....

C'est à elle *que* j'écris.
C'est à lui *que* je n'écris pas.
C'est à elles *que* j'écris.
C'est à eux *que* je n'écris pas.

10. Transformez les phrases. Mettez en relief le complément du verbe.

Exemple : *Je promets à Nicole d'écrire souvent.*
→ C'est à Nicole que je promets d'écrire souvent.
→ C'est à elle que je promets d'écrire souvent.
Je te donne l'adresse de Delphine.
→ C'est à toi que je donne l'adresse de Delphine.

a. Je demande à Mireille de choisir le restaurant.

→ ....

b. Elle propose à Jacques de venir.

→ ....

c. Je vais te confier un secret.

→ ....

d. Nous vous écrirons en premier.

→ ....

e. Vous nous racontiez toujours vos vacances, au retour.

→ ....

11. Transformez les phrases suivantes. Mettez en relief le verbe.

Ce qui me plaît,
c'est la musique !
Ce que j'aime,
c'est la musique !
Ce dont j'ai envie,
c'est un dique !

Exemple : *Le mauvais temps m'ennuie toujours.*
→ Ce qui m'ennuie toujours, c'est le mauvais temps.
Nous préférons une journée de grand soleil.
→ Ce que nous préférons, c'est une journée de grand soleil.

a. La vue des bateaux au loin me rend nostalgique.

→ ....

b. Le vol des oiseaux nous fait rêver.

→ ....

c. Le cri de l'enfant sur la plage les surprend.

→ ....

d. Ils vont chercher la maison idéale.

→ ....

e. Vous n'acceptez pas le point de vue des autres.

→ ....

f. Tu ne comprendras jamais mon besoin de détente.

→ ....

12. Répondez selon le modèle suivant.

Exemple : *De quoi tout le monde parle en ce moment ? (les élections)*
→ Ce dont tout le monde parle en ce moment, c'est les élections.

a. De quoi as-tu vraiment peur ? (la maladie)

→ ....

b. De quoi ont-ils surtout besoin dans ce pays ? (l'aide alimentaire)

→ ....

c. De quoi avez-vous particulièrement horreur ? (les exercices de grammaire)

→ ....

d. De quoi se souvient-on le plus souvent ? (les bons moments)

→ ....

e. De quoi s'occupe-t-elle réellement dans ce service ? (les relations commerciales)

→ ....

13. Transformez les phrases suivantes. Mettez en relief le sujet du verbe.

Il arrive
Il manque
Il reste

Exemple : *De gros nuages arrivent.*
→ Il arrive de gros nuages.

a. D'autres invités arrivaient.

→ ....

b. Chaque jour un important courrier arrive.

→ ....

c. Beaucoup d'employés manquent ce matin.

→ ....

d. Quelques spectateurs restaient encore dans la salle.

→ ....

e. Peu de temps reste aux comédiens pour se préparer.

→ ....

f. Des bruits circulent sur les raisons de leur séparation.

→ ....

MISE EN PLACE

1. Une mère irritée s'adresse à ses enfants. Transformez selon le modèle.

Exemple : *Vous / faire les courses ?*
→ Les courses, vous les avez faites ?

– Vous / finir vos devoirs ?

→ ....

– Vous / ramasser vos jouets ?

→ ....

– Vous / ranger votre chambre ?

→ ....

– Vous / manger tous les chocolats !

→ ....

– Vous / avoir besoin de regarder ces émissions stupides !

→ ....

– On / regarder la télévision plus tard !

→ ....

– Vous / pouvoir mettre le couvert tout de suite !

→ ....

2. Interview d'un cinéaste célèbre.

Exemple : *Quand avez-vous fait votre premier film ? (en 1980)*
→ C'est en 1980 que j'ai fait mon premier film.

– Quand sortira votre prochain film ?

(en juin) → ....

– Quand avez-vous commencé le tournage du film ?

(au mois de septembre) → ....

– Où est-ce qu'on le présentera pour la première fois ?

(à Cannes) → ....

– Vous-même, comment trouvez-vous son sujet ?

(Moi, je… assez dramatique) → ....

– C'est vous qui avez découvert les origines de cette histoire ?

(Oui, ...) → ....

– Que pensez-vous des remarques du critique du *Figaro* ?

(Lui, il...) → ....

– Quel a été le plus beau moment du tournage ?

(le départ en bateau) → ....

– Et le moment le plus difficile ?

(la maladie de l'actrice principale) → ....

– Que redoutez-vous comme réaction de la part du public ?

(le refus de croire à cette histoire) → ....

– De quoi avez-vous le plus peur dans votre vie ?

(l'avenir incertain de mon métier) → ....

3. Franck nous décrit la vie de son quartier. Il parle de la circulation.

« Nous vivons très à l'étroit ici. Les voitures se garent sur les trottoirs. Les camions de livraison bloquent les petites rues. Le bruit dans le quartier augmente sans cesse. On ne garantit plus le calme et la liberté de mouvement. Les gens ne supportent plus le nombre excessif de voitures qui traversent le quartier. Faire une avenue périphérique plus large est une solution possible. On nous redonne un peu d'espoir. Les responsables de la mairie vont prendre la décision de la construire. On se sent plus rassurés désormais pour cette raison. »

Il interroge quelques habitants du quartier. Faites-les parler (reportez-vous à la partie « Façon de dire » et aux exercices de mise en relief). Variez les structures.

a. un retraité excédé

– par le bruit

– par la circulation

– par la pollution

b. une mère inquiète

– La circulation est dangereuse.

– Les enfants ne peuvent pas jouer dehors.

– Elle ne croit plus au projet de construction de l'avenue.

c. un commerçant enthousiaste

– Beaucoup de circulation signifie beaucoup de clients.

– Il aime l'animation du quartier.

– Il fait confiance à la mairie.

d. une habitante optimiste

– Les responsables sont des gens sérieux et compétents.

– La construction de l'avenue est certaine.

– La meilleure solution a été choisie.

2

Les indéfinis

FAÇONS DE DIRE

- *Exprimer des réactions*
- *L'intensité de l'accord ou du désaccord*
- *Invitations et rendez-vous*

GRAMMAIRE

- *Les pronoms et adjectifs indéfinis*
- *La coordination*

MISE EN PLACE

- *Une personne indécise*
- *Fait divers*
- *Sondage : les Français sont-ils heureux ?*

1. Exprimer des réactions.

Dites si chaque phrase exprime une réaction de sympathie (S) ou d'antipathie (A) envers d'autres personnes, ou si elle exprime une réaction tout à fait différente (D).

a. ...... Je les trouve très sympa !
b. ...... Je ne veux plus le voir !
c. ...... Quelle angoisse !
d. ...... Quelle idiote !
e. ...... Quel culot !
f. ...... Ça me fait plaisir de discuter avec vous !
g. ...... Que vous êtes désagréable !
h. ...... Et puis quoi encore ?
i. ...... C'est un imbécile !
j. ...... Il est toujours content de la revoir !
k. ...... Qu'est-ce qu'elle m'énerve !
l. ...... Comment ça, tu n'y vas pas ?
m. ...... Tu m'agaces !
n. ...... Non mais, pour qui me prenez-vous ?
o. ...... C'est à voir !

2. L'intensité de l'accord ou du désaccord.

Classez les phrases ou expressions suivantes selon les catégories indiquées.

1. Il n'en est pas question ! / 2. Ah ! ça oui ! / 3. Ça me paraît bien ! / 4. Pas du tout ! / 5. Tout à fait ! / 6. Je n'ai rien contre ! / 7. Ça me semble impossible. / 8. Ça se peut ! / 9. Absolument ! / 10. Ça ne se passera pas comme ça. / 11. Je ne dis pas non ! / 12. C'est exact ! / 13. Je ne crois pas ! / 14. Pas vraiment. / 15. Si vous voulez... / 16. Sans aucun doute. / 17. Ce n'est pas certain ! / 18. Absolument pas ! / 19. Tout compte fait, tu as parfaitement raison. / 20. Mais si ! / 21. Oui mais... / 22. C'est inadmissible ! / 23. Je ne suis pas très convaincu !

a. accord total → ....
b. accord faible → ....
c. désaccord faible → ....
d. désaccord total → ....

3. Invitations et rendez-vous.

Faites correspondre chaque groupe de phrases à l'une des situations de communication suivantes :

Accepter ; accueillir ; entrer en contact ; inviter ; prendre congé ; prendre rendez-vous ; présenter quelqu'un ; refuser ; remercier ; reporter un rendez-vous ; se présenter.

Ensuite dites si chaque phrase du groupe est de style standard (S), décontracté (D) ou formel (F).

a. ....

...... On va prendre un pot ?

...... Tu es libre samedi soir ?

...... Je réunis quelques amis pour fêter l'anniversaire de Clémentine samedi soir. J'espère que vous serez des nôtres.

...... Je donne une soirée, je compte sur vous.

b. ....

...... Pour dimanche, ça marche.

...... Dimanche me convient parfaitement.

...... Pourquoi pas ? Je n'ai rien de prévu.

...... C'est vraiment très gentil de votre part. J'accepte très volontiers.

c. ....

...... Malheureusement, je ne suis pas libre dimanche. Un autre jour, peut-être ?

...... Pas dimanche, je suis occupée. Samedi, ça vous irait ?

...... Franchement je préfère un autre jour.

...... Je vous prie de m'excuser mais je suis déjà pris dimanche. Voulez-vous que nous prenions date pour un autre jour ?

d. ....

...... Un grand merci.

...... Je vous suis très reconnaissant.

...... Je ne sais comment vous remercier.

...... Merci bien.

e. ....

...... Pourriez-vous me recevoir demain matin ?

...... Vous êtes libre demain matin ?

...... On se retrouve quand ?

...... Il faudrait qu'on se voie. Quel jour t'arrange le mieux ?

f. ....

...... Demain soir, ça ne marche pas.

...... Je ne pourrai pas venir demain soir comme convenu.

...... Il m'est impossible de vous rencontrer demain soir comme prévu, j'ai un empêchement.

...... Désolé pour demain soir. Je ne peux pas.

g. ....

...... Pardon, ça ne vous dérange pas si je m'assieds là ?

...... Salut, je peux m'asseoir ?

...... Excusez-moi, puis-je m'asseoir à votre table ?

h. ....

...... Kristel, tu connais Arnolphe ?

...... Permettez-moi de vous présenter Mme Tamaris.

i. ....

.... Vous ne me connaissez pas. Puis-je me présenter. Je m'appelle Valérie Marceau.

...... Moi, c'est Raoul.

j. ....

...... Ah ! C'est toi !

...... Nous sommes heureux de vous souhaiter la bienvenue.

...... Donnez-vous la peine d'entrer.

...... Entrez donc !

k. ....

...... Nous espérons avoir le plaisir de vous rencontrer à nouveau.

...... Allez, je file.

...... À un de ces jours, je t'appelle.

...... Bonsoir, chers amis, nous avons passé une très belle soirée.

GRAMMAIRE

Pronoms indéfinis
quelqu'un de riche
quelque chose de différent

1. Complétez avec *quelqu'un* ou *quelque chose.*

Exemple : *............ est venu dans mon bureau ?*
*→ **Quelqu'un** est venu dans mon bureau ?*

Il a laissé .... pour moi ?
*→ Il a laissé **quelque chose** pour moi ?*

a. Il y avait .... pour t'accueillir ce matin ?
b. Vous avez eu .... à manger aujourd'hui ?
c. Il resterait encore .... du repas de midi ?
d. .... a laissé un mot pour vous sur la porte.
e. Il faudrait demander à .... où se trouve le centre.
f. Il y a .... d'intéressant dans ton groupe ?
g. Tu as acheté .... d'utile ?
h. Vous avez fait .... de beau ?
i. A-t-elle vu .... d'important à la mairie ?
j. Ont-ils .... à dire là-dessus ?

2. Complétez avec *quelques* ou *quelques-uns*, *quelques-unes*.

Pronom	Adjectif
quelques-uns (de)	quelque(s)
quelques-unes (de)	

Exemple : *J'ai regardé .... bonnes émissions à la télévision.*
→ *J'ai regardé* ***quelques*** *bonnes émissions à la télévision.*

Vous connaissiez les personnes invitées ? Oui, ...
→ *Vous connaissiez les personnes invitées ? Oui,* ***quelques-unes****.*

a. Prenez .... jours de vacances, cela vous fera du bien.
b. Je vous signale .... de ses problèmes.
c. Vos invités savent jouer aux cartes ? Oui, ...
d. Nous avons choisi .... jeux amusants pour les enfants.
e Choisissez .... de vos meilleures recettes pour la fête.
f. Vos amis viennent ce soir ? Oui, il y en aura ....
g. Vous avez invité vos amies ? J'en ai invité ....
h. Il reste encore des places pour la réunion ce soir ? Oui, il en reste ....
i. Vous avez averti les employés ? Oui, j'en ai averti ....

3. Utilisez *quelques-un(e)s* et *certain(e)s* selon le modèle.

Exemple : *Vous avez regardé les émissions à la télé hier soir ?*
→ *Oui, j'en ai regardé .... ; .... m'ont plu.*
→ *Oui, j'en ai regardé* ***quelques-unes*** *;* ***certaines*** *m'ont plu.*

a. Vous avez rencontré ses associés ? J'en ai rencontré .... ; .... travaillent dans mon bureau.
b. Connaissez-vous ces personnes ? Oui, j'en connais .... ; .... sont même des amies.
c. Est-ce qu'ils ont trouvé tous les documents ? Ils en ont trouvé .... ; .... sont déjà perdus.
d. Les enfants ont entendu ces histoires ? Ils en ont entendu .... ; ....n'étaient pas convenables.
e. Que pensez-vous de ses articles ? J'en ai lu .... ; .... me semblent même excellents.

4. Faites des phrases selon le modèle.

Exemple : La majorité *des étudiants désapprouve cette décision.*
La plupart *des gens désapprouvent cette décision.*

a. La plupart des candidats .... une certaine anxiété avant les examens. (éprouver)
b. La majorité de la population estudiantine .... favorable à la réforme des examens. (être)
c. La plupart des concurrents .... mal se préparer. (sembler)
d. La majorité des employés de la faculté .... cette opinion. (ne pas partager)
e. La plupart des professeurs .... d'enthousiasme à ce propos. (ne pas manifester)

Pronom	Adjectif
chacun(e)	chaque

5. Complétez avec *chaque* ou *chacun, chacune*.

Exemple : *........... étudiante de la classe a reçu sa note aujourd'hui.*
→ ***Chaque*** *étudiante de la classe a reçu sa note aujourd'hui.*
.... des étudiantes a contribué au projet.
→ ***Chacune*** *des étudiantes a contribué au projet.*

a. Il y avait des prix pour .... élève.
b. La maîtresse faisait l'éloge de .... des participants.
c. Les filles étaient là, ... avait pris sa place dans la classe.
d. .... jour on peut les voir dans la cour de l'école.
e. Il distribue des bulletins à .... des jeunes garçons.
f. Il pleurait .... fois qu'on l'interrogeait.
g. .... faisait ce qui lui plaisait en classe.
h. Que .... s'occupe de ce qui le regarde !

Pronom	Adjectif
personne… ne rien… ne	aucun(e)… ne pas un(e)… ne

6. Complétez avec *personne, rien, aucun, aucune, pas un, pas une.*

Exemple : *Je n'ai rencontré ....*
→ *Je n'ai rencontré* ***personne****.*

a. Elle n'avait .... idée du risque.
b. Ils n'ont .... compris à ses paroles.
c. .... possibilité ne s'est présentée.
d. .... seul sportif n'est à l'abri de ces risques.
e. Vous n'avez .... espoir de le sauver.
f. Je n'ai .... d'autre à dire.
g. .... seul enfant n'a voulu participer.
h. .... ne nous avait jamais parlé comme ça.
i. Elle a perdu sa valise et n'a plus .... à se mettre.

Pronom
(personne) n'importe qui
(chose) n'importe quoi

7. Complétez avec *n'importe qui* ou *n'importe quoi.*

Exemple : *........... peut faire ce travail.*
→ ***N'importe qui*** *peut faire ce travail.*
Il dit .... quand il est énervé.
→ *Il dit* ***n'importe quoi*** *quand il est énervé.*

a. Elle ferait .... pour leur faire plaisir.
b. .... a le droit d'entrer ici !
c. Les animaux font .... dans la maison.
d. Attention à ce monsieur : ce n'est pas ....
e. On ne donne pas .... à boire aux enfants.
f. Je ferais .... pour éviter cette éventualité.
g. Ils sortiraient avec ....

8. Complétez avec *n'importe quel, n'importe quelle* ou *n'importe lequel, n'importe laquelle.*

Adjectif	
n'importe quel(le) + nom	n'importe lequel
	n'importe laquelle

Exemple : *Ils mangent à .... moment de la journée.*
→ *Ils mangent à **n'importe quel** moment de la journée.*

Ces deux autobus vont au centre : vous pouvez prendre ....
→ *Ces deux autobus vont au centre : vous pouvez prendre **n'importe lequel.***

a. Je devais le faire à .... prix.
b. Vous pourriez le mettre dans .... catégorie.
c. Ces billets ont la même valeur, tu peux utiliser ....
d. Les trois feuilles sont similaires ; vous pouvez prendre ....
e. On trouve à manger à .... heure ici.
f. .... de ces propositions fera l'affaire.
g. Les deux ordinateurs ont la même puissance, servez-vous de ....

9. Une famille traditionnelle. Complétez avec *tout, toute, tous, toutes.*

Pronom	Adjectif
tout, tous	tout, tous
toutes	toute, toutes

Exemple : *C'est la même histoire dans .... les familles.*
→ *C'est la même histoire dans **toutes** les familles.*

a. Le père de famille travaille .... le temps, il est rarement chez lui.
b. La mère reste .... la journée à la maison à s'occuper de tout.
c. Les enfants rentrent .... les jours à midi pour le déjeuner.
d. .... les courses et .... les repas sont faits pour eux.
e. .... ce travail laisse peu de temps à la mère pour ses propres distractions.
f. Elle ne sort pas .... les fois qu'elle le voudrait.
g. Et c'est comme ça pendant .... l'année !

10. On est vraiment comme ça ? Complétez avec *tous* ou *toutes.*

Exemple : *Les garçons font du sport ?*
→ *Oui, ils en font tous.*

Tu as prêté tes disques ?
→ *Oui, je les ai tous prêtés.*

a. Les enfants ont attrapé la rougeole ?
→ ....
b. Les jeunes filles rêvent-elles d'amour ?
→ ....
c. Les adolescents sont très sensibles ?
→ ....
d. Les étudiants ont bien préparé leur examen ?
→ ....
e. Tes amis sont allés au concert ?
→ ....

11. Quelques expressions utiles. Complétez avec *tout, toute, tous, toutes.*

Exemple : *C'était une réussite à .... point de vue.*
→ *C'était une réussite à* ***tout*** *point de vue.*

a. Il parle de lui à .... propos.
b. La voiture avançait à .... vitesse.
c. Les deux textes sont semblables en .... points.
d. Soyez prudents en .... circonstances.
e. Restez alertes en .... lieux et à .... heure.

Adverbe

tout → Le chat est *tout* noir.
Les chats sont *tout* noirs.
La ville est *tout* illuminée.
Les villes sont *tout* illuminées.
Elle est *tout* heureuse.
Elles sont *tout* heureuses.

toute → Elle est *toute* joyeuse.
Elle est *toute* honteuse.

toutes → Elles sont *toutes* joyeuses.
Elles sont *toutes* honteuses.

12. Remplacez *très, vraiment, entièrement* par *tout* ou *toute.*

Exemple : *Il est très content.* → *Il est tout content.*
Ils sont très contents. → *Ils sont tout contents.*
Elle est très contente. → *Elle est toute contente.*
Elles sont très contentes. → *Elles sont toutes contentes.*

a. Mon grand-père est très fier de son jardin.
→ ....
b. Ma tante est vraiment surprise de notre arrivée.
→ ....
c. Les employés sont entièrement satisfaits de leurs nouveaux horaires.
→ ....
d. Mon frère aîné est très ému par la nouvelle.
→ ....
e. Mes sœurs sont très contentes de partir à l'étranger.
→ ....
f. Ma mère est parfaitement heureuse d'être entourée par sa famille.
→ ....
g. La photographe est profondément déçue d'avoir raté le reportage.
→ ....

13. Complétez avec *tout, toute, tous, toutes.*

.... la famille était là pour le réveillon. Il y avait les grands-parents, des deux côtés, ... les cousins, ... les cousines, ensemble pour la première fois depuis cinq ans. Ils étaient .... très heureux. .... s'est bien passé jusqu'à l'entrée du Père Noël. À ce moment-là, la plus jeune, bouleversée par .... le spectacle, s'est mise à crier. .... le monde a essayé de la calmer. C'est l'étoile, ... en haut de l'arbre de Noël, qui a fait le miracle. Les enfants attendaient leurs cadeaux : .... avaient l'air .... excités. Mais comment les surveiller ? François a retrouvé son cadeau et en un clin d'œil il l'avait .... défait. .... de suite après on a laissé tomber des chocolats par terre, et c'est le chien qui les a .... mangés.

14. Complétez avec *quelque part, n'importe où, ailleurs, nulle part.*

Exemple : *Où est-ce qu'il habite ? Il habite .... par ici.*
*Il habite **quelque part** par ici.*

a. Cet homme, je l'ai déjà vu ....
b. Comme mes voisins habitent maintenant ...., je ne les vois plus.
c. Vous pouvez le mettre ...., cela n'a pas d'importance.
d. Les clochards n'habitent ....
e. L'or n'est pas ici, il faut chercher ....
f. On a beau chercher la clé, on ne la trouve ....
g. Ne vous asseyez pas .... sur cette herbe.

15. Complétez le tableau.

Dites si chaque réponse indique le temps (T), le lieu (L), ou la manière (M).

		T	L	M
Exemple : *Quand se lèvent-ils ?*	*À n'importe quelle heure.*	✗		
a. Où sont-elles ?	Quelque part.			
b. Comment gagnes-tu ta vie ?	N'importe comment.			
c. Il les ont cachés ici.	Non, ailleurs.			
d. Elle pourra y remédier ?	D'une façon ou d'une autre.			
e. Où allez-vous ?	Nulle part.			
f. Tu penses à moi ?	À chaque instant.			
g. Il compte la suivre ?	N'importe où.			
h. On s'est compris ?	En un certain sens, oui.			
i. Ils se sont revus.	Quelquefois.			

16. Complétez les phrases suivantes.

Utilisez une des expressions indéfinies de la liste ci-dessous.

Ailleurs ; n'importe comment ; n'importe quoi ; quelque part ; à n'importe quelle heure ; quelquefois ; n'importe où ; quelques ; certains.

Exemple : *Vous ne trouverez pas ce livre ici mais vous le trouverez ....*
*→ Vous ne trouverez pas ce livre ici mais vous le trouverez **ailleurs**.*

a. Ils n'habitent plus à Genève, ils habitent ....
b. Elle loue un appartement .... dans le septième arrondissement.
c. .... acrobates ont répondu à l'annonce.
d. Je lui ai téléphoné ....
e. Quand pouvons-nous partir ? ....
f. Il est étourdi, il répond ....
g. Accepteriez-vous de travailler ....
h. Elle s'habille ....

17. Mettez les mots dans le bon ordre pour faire une phrase.

***Exemple :** ne / détends / te / pas / beaucoup / tu*
→ Tu ne te détends pas beaucoup.

a. pas du tout / ne / dors / je / en été
→ ....

b. s'amusent / ils / beaucoup
→ ....

c. fumes / pour être en forme / trop / tu
→ ....

d. vous / assez souvent / en ce moment / voyagez
→ ....

e. elles / par cette chaleur / guère / sortent / ne
→ ....

f. assez / ne / pas / travaille / il
→ ....

Maintenant classez ces phrases par ordre d'intensité.

c. .... (trop) ....

....

....

....

....

....

18. Dites le contraire ou nuancez l'affirmation.

Choisissez une expression de la liste ci-dessous.

Ne ... pas du tout ; très peu ; mal ; ne ... pas assez ; à peine ; presque ; peu.

a. Cette pièce est très claire. → ....

b. Elle voit constamment ses amis. → ....

c. Il fait trop froid. → ....

d. Le travail est tout à fait satisfaisant. → ....

e. Ils s'aiment beaucoup. → ....

f. Nous sommes bien installées. → ....

19. Exprimez l'alternative autrement.

***Exemple :** Je boirai du thé ou du café.*
→ Je ne boirai ni thé ni café.

a. J'irai à Paris ou à Honfleur. → ....

b. Nous avons le temps et la volonté pour réussir. → ....

c. Vous prendrez le train ou la voiture. → ....

Exemple : *Soit elle rit, soit elle pleure.*
→ *Tantôt elle rit, tantôt elle pleure.*

d. En cette saison, soit il neige, soit il gèle. → ....
e. Soit ils se révoltent, soit ils se résignent. → ....
f. Soit elle parle trop, soit elle ne dit rien. → ....

20. Transformez la phrase.

Exemple : *Il dîne au restaurant et y emmène ses amis.*
→ *Non seulement il dîne au restaurant, mais en plus il y emmène ses amis.*

a. Elle rentre tard et met fort sa radio.
→ ....
b. Il a pris la voiture de son père et il a eu un accident.
→ ....
c. Il fait des heures supplémentaires et il n'est pas payé.
→ ....
d. Ils ont cassé les vitrines et ils ont pillé le magasin.
→ ....

MISE EN PLACE

1. Une personne indécise.

Vous ne vous décidez pas. Répondez à ces questions. Choisissez parmi les expressions suivantes.

N'importe qui. / N'importe quoi. / N'importe où. / N'importe lequel. / Nulle part. / Ça m'est égal. / Pourquoi pas. / Je m'en moque. / Peu importe.

Qu'est-ce que vous voulez manger ? – ....
Où est-ce que vous achetez vos vêtements ? – ....
Avec qui aimez-vous discuter au café ? – ....
Où allez-vous pour vous distraire pendant votre temps libre ? – ....
Qu'est-ce que vous aimez comme musique ? – ....
Quel mois choisissez-vous pour vos vacances ? – ....

2. Fait divers.

a. Complétez les phrases du tableau en utilisant les expressions ci-dessous :
Sans perdre de temps ; en pleine nuit ; sans difficulté ; en direction de Marseille ; vers six heures du matin ; sur l'autoroute ; à toute vitesse ; brutalement ; au milieu de la chaussée.

Des cambrioleurs	attaquer une banque	quand ?
Les policiers	partir à leur poursuite	comment ?
Les cambrioleurs	s'enfuir	vers où ?
Les malfaiteurs	heurter un camion	où et quand ?
Le camion	freiner	comment ?
Il	se renverser	où ?
Les policiers	attraper les voleurs	comment ?

b. Réécrire le texte au passé-composé sous la forme d'un bref article.

....

....

....

3. Sondage.

Un institut de sondage a interrogé cent cadres âgés de trente-cinq à cinquante-cinq ans travaillant en entreprise. Voici leurs réponses aux questions posées.

	oui	non	sans opinion
a. Aimez-vous le quartier où vous habitez ?	66	28	6
b. Souhaiteriez-vous vivre à l'étranger ?	18	70	12
c. Êtes-vous satisfait(e) de votre travail ?	81	18	1
d. Estimez-vous que vous gagnez bien votre vie ?	55	40	5
e. Disposez-vous suffisamment de temps libre dans votre vie ?	11	89	0
f. Faites-vous régulièrement du sport ?	3	97	0
g. Pensez-vous que le sport soit bon pour la santé ?	92	6	2
h. Pensez-vous que l'amour est important pour être heureux ?	65	27	8
i. Êtes-vous heureux(se) ?	68	10	22

Commentez les résultats de ce sondage à l'aide des expressions indiquées.

Exemple : *La plupart des cadres pensent qu'ils ne disposent pas de suffisamment de temps libre dans leur vie.*

La plupart des personnes interrogées ....

La majorité d'entre elles ....

Certains (cadres) ....

Beaucoup ....

Presque toutes les personnes interrogées ....

Presque aucune personne interrogée ....

Peu de gens ....

3

Les propositions relatives La comparaison

FAÇONS DE DIRE

- *Les cinq sens*
- *Exprimer des préférences*
- *S'informer et informer*
- *Comment faire ?*

GRAMMAIRE

- *Les pronoms relatifs simples*
- *Les pronoms relatifs composés*
- *Les adverbes de comparaison*
- *Les adjectifs de comparaison*

MISE EN PLACE

- *Définitions*
- *Combinaisons*
- *Rédaction*

1. Les cinq sens.

Les expressions ci-dessous indiquent une appréciation. Classez-les selon les sens :

C'est lumineux. / C'est mélodieux. / C'est soyeux. / C'est fleuri. / C'est rêche. / C'est savoureux. / Ça brille. / C'est piquant. / C'est sonore. / C'est éclatant. / C'est amer. / C'est puant. / C'est doux. / C'est âcre. / Ça retentit. / C'est lisse. / C'est éblouissant. / C'est succulent. / C'est épicé. / C'est très sourd.

a. la vue ....

b. le goût ....

c. l'odorat ....

d. l'ouïe ....

e. le toucher ....

2. Exprimer des préférences.

Ces expressions traduisent une appréciation. Classez-les de la plus positive à la plus négative.

a. Le cinéma, ce n'est pas mon truc.

b. Entre Madonna et Vanessa Paradis, j'ai une légère préférence pour la jeune Vanessa.

c. Je ne raffole pas des films de science-fiction.

d. J'adore l'opéra.

e. J'ai un faible pour ce chanteur.

f. Le concert de Michael Jackson, je m'en fiche complètement.

g. Je reconnais un certain penchant pour les films d'auteur.

h. J'ai horreur des films violents.

i. Ce soir, je veux bien aller au théâtre ou au cinéma, peu importe.

....

3. S'informer et informer.

Choisissez dans la liste ci-dessous une réponse appropriée à chaque demande de renseignement.

On ne me l'a jamais présentée. / Il ne sera pas de retour avant trois heures. / La réunion est reportée à demain. / Ils savent tout. / Servez-vous du téléphone dans mon bureau. / Ton fils a pris la voiture pour aller voir ses copains. / Je ne suis jamais à court d'idées. / Elle s'achète une voiture de sport.

a. À quelle heure est la réunion ?

→ ....

b. Pouvez-vous me dire son nom ?

→ ....

c. Je voudrais téléphoner, où est la cabine ?

→ ....

d. J'aurais voulu savoir si le directeur est là.

→ ....

e. Tu n'aurais pas vu les clés de la voiture ?

→ ....

f. Ils sont au courant ?

→ ....

g. Tu ne sais pas la meilleure ?

→ ....

h. N'avez-vous pas d'autres projets ?

→ ....

4. Comment faire ?

Choisissez dans la liste des questions ci-dessous celle qui correspond à chaque réponse.

Pour prévenir quand on se sent en danger, que faut-il faire ? / Explique-moi comment tu fais cette sauce. / À votre avis, si on trouve un magnétoscope d'occasion à acheter, quelle est la marche à suivre ? / Comment est-ce que je dois me soigner ? / Je la raccourcis ou pas ? / Tu veux me montrer comment ça marche ? / Comment faire pour y aller ? / Comment savoir si mes amis sont dans cet hôtel ?

a. – ....

– Eh bien, le secret c'est les aromates que j'utilise.

b. – ....

– Prenez trois comprimés par jour à l'heure du repas.

c. – ....

– On appuie sur la sonnette d'alarme.

d. – ....

– Il faut d'abord vérifier le fonctionnement.

e. – ....

– Vous continuez tout droit jusqu'au carrefour et là vous prenez à gauche.

f. – ....

– Ah non, la jupe se porte longue cet hiver.

g. – ....

– Demandez à la réception.

h. – ....

– Regarde, c'est comme ça qu'il faut faire.

celui / celle qui	ceux / celles qui
celui / celle que	ceux / celles que
celui / celle dont	ceux / celles dont

1. Complétez avec *celui qui, celui que, celui dont*, etc.

Exemple : *J'ai acheté cette cassette, ... fait la une en ce moment.*
→ *J'ai acheté cette cassette,* **celle qui** *fait la une en ce moment.*
Vous aimez ce programme, ... on donne tous les soirs ?
→ *Vous aimez ce programme,* **celui qu'***on donne tous les soirs ?*
Tu as vu les nouveaux films, ... je t'ai parlé ?
→ *Tu as vu les nouveaux films,* **ceux dont** *je t'ai parlé ?*

a. Je te propose cet itinéraire, ... j'ai préparé hier soir.
b. Tu as trouvé les brochures, ... le guide nous a parlé ?
c. Vous connaissez cette carte, ... présente les routes de tout le pays ?
d. Voici les plans, ... tu as besoin pour t'orienter dans la ville.
e. Je déteste ces touristes, ... parlent pendant les visites guidées.
f. J'ai mieux aimé la première visite, ... a duré trois heures environ.
g. Où sont les valises, ... on a achetées pour le voyage ?
h. Il faut absolument voir ce monument, ... on a tant entendu parler.

avec qui	avec lequel / laquelle
à qui	auquel / à laquelle
de qui	duquel / de laquelle

2. Complétez avec *qui, lequel, auquel, etc.*

Exemple : *Ce sont des copains avec .... je fais du footing tous les jours.*
→ *Ce sont des copains avec* **qui** *je fais du footing tous les jours.*
Ce sont des chiens de garde avec .... il ne faut pas s'amuser.
→ *Ce sont des chiens de garde avec* **lesquels** *il ne faut pas s'amuser.*

a. Regardez ces photos sur .... on voit la famille en vacances.
b. Voilà les amis avec .... nous avons passé nos vacances d'été.
c. C'était une superbe plage sur .... il n'y avait personne.
d. Au premier plan on reconnaît le pêcheur à .... on a loué un bateau.
e. Et aussi, une mer dans .... on se baignait chaque jour.
f. Vous voyez ce kiosque vers .... Pierre est en train de se diriger ?
g. Et puis le chien tout mouillé .... il a donné la glace qu'il avait achetée ?

Exemple : *Annie avait apporté de la crème solaire / nous serions tout rouges sans la crème solaire.*
→ *Annie avait apporté de la crème solaire sans* **laquelle** *nous serions tout rouges.*

h. Les vagues ramenaient des coquillages / on a marché pieds nus sur ces coquillages.
→ ....

i. Heureusement, il y avait des planches à voile / on s'est amusés avec les planches à voile.
→ ....

j. Au-dessus volaient des mouettes / nous avons donné du pain aux mouettes.

→...

k. Il y avait des petits enfants / nous avons prêté nos jouets de plage à ces enfants.

→...

l. C'étaient des enfants de la ville / ces vacances représentaient un plaisir assez rare pour eux.

→...

m. Merci à nos amis / nous n'aurions pas trouvé cette plage magnifique sans eux !

→...

3. Complétez avec *dont, duquel, de laquelle, desquels, desquelles.*

la ville dont je parle
le village près duquel j'habite
la ville près de laquelle j'habite
les villages près desquels j'habite

a. On restaure le château à côté .... se trouve une chapelle romane.

b. Ces tableaux ont été peints par un artiste italien .... j'ai oublié le nom.

c. Cette statue, ... l'original se trouve au musée du Louvre, est signée Rodin.

d. Les sommets en haut .... nous sommes montés offrent un magnifique panorama.

e. Je visiterai tous les monuments .... les guides recommandent la visite.

f. Nous traversions de petites villes au centre .... se trouvaient immanquablement l'église, l'hôtel de ville et la boulangerie ou le café.

g. Il aimait cette rivière, au bord .... il venait peindre ou dessiner chaque jour.

h. Elles ont été très déçues par cet hôtel .... on leur avait pourtant dit grand bien.

4. Complétez avec *dont, de qui.*

l'enfant dont on est fier
l'enfant près de qui on est assis

Exemple : *Les enfants .... je m'occupais sur la plage ont jeté du sable sur les voisins.*

→ Les enfants ***dont*** *je m'occupais sur la plage ont jeté du sable sur les voisins.*

Les enfants à côté .... j'étais assis sur la plage ont jeté du sable sur les voisins.

→ Les enfants à côté ***de qui*** *j'étais assis sur la plage ont jeté du sable sur les voisins.*

a. Le passager bavard à côté .... elle était assise n'arrêtait pas ses commentaires.

b. Le passager .... on ne pouvait supporter les commentaires est finalement descendu.

c. Excusez ces enfants à cause .... nous avons failli manquer le bus.

d. Les musiciens .... tout le monde se souvenait ont donné un récital merveilleux.

e. Les amateurs de musique en face .... le violoniste jouait écoutaient avec un plaisir évident.

5. Complétez avec *dont, de qui, duquel, auquel*, etc.

a. Vous souffrez de cette chaleur, à cause .... se mettent à chanter les cigales.

b. La foire a attiré des spectateurs nombreux au milieu .... se glissent des voleurs attentifs.

c. Le passage au bout .... nous habitons est ouvert aux piétons.

d. Dans le square il y a un kiosque près .... on peut s'asseoir.

e. Ces cérémonies traditionnelles .... j'ai parlé dans mon livre existent encore de nos jours.

f. On aime bien les fêtes grâce .... les gens se réunissent et se connaissent mieux.

g. Ces coutumes .... on reconnaît la nécessité remontent loin dans le passé.

ce qui me plaît
ce que je critique
ce dont j'ai besoin

6. Complétez avec *ce qui, ce que, ce dont.*

Exemple : *Ne racontez pas .... vous avez vu.*
→ *Ne racontez pas* ***ce que*** *vous avez vu.*

a. Vous pouvez nous dire .... vous comptez voir ici ?

b. Allons voir .... se passe en ville aujourd'hui.

c. Il faudra voir tout .... ils sont si fiers dans ce village.

d. La danse folklorique ? C'est .... m'attire dans cette région.

e. Les enfants ont enfin fait du cheval, ... ils avaient parlé toute l'année.

f. Un mauvais été ! C'est .... je crains le plus en vacances.

g. Ce sont de braves gens : donnez-leur .... ils ont besoin.

7. Faites une seule phrase. Utilisez *où, d'où.*

Exemple : *Je me souviens de cette ville. J'ai passé mes vacances d'hiver dans cette ville.*
→ *Je me souviens de cette ville* ***où*** *j'ai passé mes vacances d'hiver.*

J'étais dans cette ville. Je t'ai téléphoné depuis cette ville.
→ *J'étais dans cette ville* ***d'où*** *je t'ai téléphoné.*

a. À droite il y a le camping. Il y a tant de monde en été dans ce camping.
→ ....

b. On a fait une belle moisson en ce mois d'automne. La chaleur était intense pendant ce mois-là.
→ ....

c. Le café a une terrasse. On peut y prendre l'apéritif.
→ ....

d. Le centre-ville est entouré de grands jardins. Ils y ont installé des bancs de pierre.
→ ....

e. On traverse le fleuve par un pont. On voit les montagnes de ce pont.
→ ....

f. Je me rappelle parfaitement cette soirée de printemps. Ma sœur a annoncé ses fiançailles par cette belle soirée.

→ ....

g. Il était arrivé au sommet du col. On dominait le paysage de ce col.

→ ....

8. Complétez les phrases.

Utilisez une expression ou un mot choisis dans la liste ci-dessous.

D'où ; pendant laquelle ; près duquel ; sans lequel ; pour qui ; ce dont ; où ; que ; celles qui ; par où ; ce qui ; dont ; ce que.

a. Elle n'a jamais revu la maison .... elle est née.
b. Ils cherchaient le carrefour .... ils rejoindraient l'autoroute.
c. Comme fleurs, plantez plutôt .... vont durer tout l'été.
d. C'étaient nos correspondants .... on avait perdu toute trace.
e. Il faut nous expliquer .... vous a déplu.
f. Nous ne comprenions pas .... cela voulait dire.
g. Redites-moi .... nous avions parlé ensemble.
h. On montait au sommet d'une tour .... on pouvait voir toute la ville.
i. C'est une personne sérieuse .... j'ai beaucoup d'estime.
j. Elle avait apporté un jeu amusant .... le voyage aurait été très ennuyeux.
k. Nous avons vu le site sacré, ... le guide s'est arrêté.
l. C'était une longue séance .... je me suis endormi.
m. Parlez-nous de ces héros .... on raconte tant les exploits.

9. Faites une seule phrase. Utilisez *qui, que, dont, lequel, laquelle.*

Exemple : *Derrière nous, il y avait un homme. Cet homme nous suivait.*
→ Derrière nous, il y avait un homme qui nous suivait.

a. Quelqu'un était assis sur ce banc. Le détective observait un banc.

→ ....

b. Ce sont des détails sans intérêt. Il a voulu les discuter.

→ ....

c. Montrez-nous la voiture. L'achat de cette voiture doit rester secret.

→ ....

d. On a interviewé cette femme courageuse. J'ai beaucoup d'estime pour elle.

→ ....

e. La foule ne cesse de dévisager cet homme. Des policiers se sont rangés en face de lui.

→ ....

f. Les réactionnaires dénoncent la réforme de la loi. Je me bats pour cette réforme.

→ ....

g. Ne mangez pas cette tarte. Elle a préparé cette tarte pour le souper.

→ ....

h. Hier le directeur a fait une constatation provocante. Il aimerait revenir sur cette constatation.

→ ....

i. Faites venir le médecin. Je vous ai donné son nom.

→ ....

10. L'indicatif ou le subjonctif ?

Exemple : *Je connais quelqu'un qui .... ce genre de dessin.*
→ Je connais quelqu'un qui fait ce genre de dessin.

Je ne connais personne qui .... ce genre de dessin.
→ Je ne connais personne qui fasse ce genre de dessin.

a. Je connais quelqu'un qui .... faire des caricatures. (savoir)

b. Je ne connais personne qui .... faire des caricatures. (savoir)

c. Il propose quelque chose qui .... vous aider. (pouvoir)

d. Il ne propose rien qui .... vous aider. (pouvoir)

e. L'entraîneur sélectionne tous les joueurs qui .... la volonté de gagner. (avoir)

f. L'entraîneur n'a trouvé personne qui .... céder sa place dans l'équipe. (vouloir)

g. Les spectateurs attendent quelque chose qui .... assez spectaculaire pour indiquer la supériorité de l'une des équipes. (être)

11. L'indicatif ou le subjonctif ?

Exemple : *Connaissez-vous un hôtel où les chiens .... acceptés ? (être)*
→ Connaissez-vous un hôtel où les chiens soient acceptés ?

Je connais un hôtel où les chiens .... acceptés. (être)
→ Je connais un hôtel où les chiens sont acceptés.

a. Connaissez-vous un endroit où on .... nager et pique-niquer ? (pouvoir)

b. Je connais un endroit où on .... faire des jeux en plein air. (pouvoir)

c. Y a-t-il un magasin où cette carte de crédit .... reconnue ? (être)

d. Il y a plusieurs magasins où cette carte de crédit .... reconnue. (être)

e. Y a-t-il ici quelqu'un qui .... donner les premiers secours ? (savoir)

f. Il y a parmi la foule plusieurs personnes qui .... secourir les blessés. (savoir)

g. Pourriez-vous m'indiquer un médicament qui ne .... pas mal à l'estomac ? (faire)

h. Il y a un nouveau remède qui .... rapidement les maux d'estomac. (guérir)

L'été est plus chaud que l'hiver.

La nuit est moins claire que le jour.

Le matin est aussi beau que le soir.

12. Exprimez la comparaison avec *plus ... que, moins ... que.*

Exemple : *Une chanson est une œuvre .... courte .... un opéra.*
→ Une chanson est une œuvre ***plus*** *courte* ***qu'****un opéra.*

a. En général, l'homme est .... robuste .... la femme.

b. Mais la femme est .... résistante .... l'homme.

c. Cette ville balnéaire est .... peuplée en hiver .... en été.

d. Cet enfant est .... timide .... son frère.

e. Un train express est .... rapide .... le TGV.

13. Exprimez la comparaison avec *plus... que, autant ... que.*

Il a plus de temps que moi.
Il a moins de temps que moi.
Il a autant de temps que moi.

Exemple : *Ils / avaler des vitamines en hiver / en été / +*
→ Ils avalent plus de vitamines en hiver qu'en été.
Elle / avoir du succès / lui / =
→ Elle a autant de succès que lui.

a. Il y a des espaces verts en ville / à la campagne / -
→ ....

b. Je / avoir du travail cette année / l'année dernière / =
→ ....

c. Vous / avoir de la chance / moi / +
→ ....

d. On éprouve du plaisir à lire / à aller au cinéma / -
→ ....

e. Il / avoir de l'argent / vous / -
→ ....

f. On trouve des jeux de société pour adultes / pour enfants / +
→ ....

14. Exprimez la comparaison avec *plus que, moins que, autant que.*

Je l'aime plus.
Je l'aime moins.
Je l'aime autant.

Exemple : *J'appréciais ce quartier / je l'apprécie plus maintenant / +*
→ J'apprécie ce quartier plus qu'avant.
J'appréciais ce quartier / je l'apprécie moins maintenant / -
→ J'apprécie ce quartier moins qu'avant.
J'appréciais ce quartier / je l'apprécie autant maintenant / =
→ J'apprécie ce quartier autant qu'avant.

a. Les enfants ont aimé la plage / ils l'aiment plus maintenant / +
→ ....

b. Les adultes avaient le sens du devoir / ils l'ont moins maintenant / -
→ ....

c. Les célibataires ont défendu leur indépendance / ils la défendent autant maintenant / =
→ ....

d. Nous regardions quelquefois la télévision / nous la regardons plus souvent maintenant / +
→ ....

15. Exprimez la comparaison avec *plus ... plus, plus ... moins, etc.*

Exemple : *Plus je la vois, plus je l'aime. / + +*
Plus je les entends, moins je les comprends. / + -
Autant son frère est brillant, autant elle est effacée. / = =

a. Ils travaillent / ils se sentent fatigués / + +
→ ....

b. Vous me flattez / je vous crois / + -
→ ....

c. J'ai aimé le livre / j'ai détesté le film / = =
→ ....

d. Elle voyage / elle a envie de voyager / + +
→ ....

e. Tu es gentil / tu me mets en colère / - +
→ ....

f. Il apprécie la musique / il est insensible à la peinture / = =
→ ....

Ce journal se vend beaucoup.
Ce journal se vend de plus en plus.
Ce journal se vend peu.
Ce journal se vend de moins en moins.

16. Exprimez la comparaison avec *de plus en plus, de moins en moins.*

Exemple : *Est-ce que votre fils rentre toujours aussi tard ? (oui)*
→ Oui, il rentre de plus en plus tard.
Est-ce que ta fille écrit toujours autant de lettres ? (non)
→ Non, elle en écrit de moins en moins.

a. Les vacances de ski coûtent toujours aussi cher ? (oui)
→ ....

b. Elle sort toujours chaque soir de la semaine ? (non)
→ ....

c. Les heures d'affluence dans le métro sont toujours aussi pénibles ? (oui)
→ ....

d. Ton amie lit toujours autant de science-fiction ? (oui)
→ ....

e. Il y a toujours beaucoup de gens qui viennent ici ? (non)
→ ....

un tel homme
de tels hommes
une telle femme
de telles femmes

17. Exprimez la comparaison avec *tel, telle*, etc.

Exemple : *Cette histoire n'est pas crédible.*
→ Une telle histoire n'est pas crédible.

a. Cet esprit est plutôt rare.
→ ....

b. Cette erreur n'est pas acceptable.
→ ....

c. Ces commentaires font plaisir à entendre.
→ ....

d. Ces méthodes vont gâcher le travail.
→ ....

e. Cet effort vaut bien une récompense.
→ ....

f. Cette attitude me fait de la peine.
→ ....

Exemple : *Une actrice comme Anémone plaît à un large public.*
→ Une actrice telle qu'Anémone plaît à un large public.

g. Il rêvait de devenir un écrivain comme Balzac.
→ ....

h. Une romancière comme Duras méritait bien le prix Goncourt.
→ ....

i. Un peintre comme Matisse ne laisse personne indifférent.
→ ....

j. Des poètes comme Prévert et Aragon sont très populaires en France.
→ ....

k. Des chanteuses comme Piaf et Gréco ne seront jamais démodées.
→ ....

l. Il admirait des cinéastes comme Godard et Rohmer.
→ ....

MISE EN PLACE

1. Définitions.

Complétez les définitions. Utilisez les expressions suivantes :
Celui qui ; avec lequel ; où ; sur qui ; de qui ; dans laquelle ; celle qui ; avec lesquels ; dont.

Exemple : *Un ami, c'est quelqu'un .... vous pouvez compter.*
Un ami, c'est quelqu'un sur qui vous pouvez compter.

Le père Noël, c'est .... apporte des jouets pour les enfants.
Un dentiste, c'est quelqu'un .... on a souvent peur.
Marianne, c'est une femme célèbre : .... symbolise la République française.
Descartes est un philosophe .... la réputation est universelle.
Un ballon c'est un objet .... on joue.
Un stade, c'est un endroit .... on s'entraîne.
Une chambre, c'est une pièce .... on dort.
La guitare et l'accordéon sont des instruments .... on fait de la musique.

2. Combinaisons

Pour chaque sujet, choisissez l'élément approprié dans les deux autres colonnes pour faire une phrase.

Exemple : *Cette femme / dont / j'ai oublié le nom se spécialise en médecine pour enfants.*

Cette femme	ce dont	j'ai parlé est à la une ce soir.
L'architecte	dont	je dois partir est inscrite dans mon carnet.
Le programme	avec lequel	je pense est mon voyage en Grèce.
La revue	à quoi	je compose mes textes m'est précieux.
Les livres	qui	vous avez besoin.
La maison	dont	on a tant parlé a ses bureaux ici.
Je connais quelqu'un	d'où	j'ai oublié le nom se spécialise en médecine pour enfants.
La date	que	j'habite est dans un quartier très bruyant.
N'hésitez pas à prendre	dont	je vous téléphone est dans le Midi.
La ville	où	est expert dans ce domaine.
Le vieil ordinateur	dont	j'ai noté la référence ne paraît plus.
Ce	à laquelle	j'écris traitent tous du même thème.

3. Rédaction.

Écrivez une phrase sur chaque thème proposé.

Exemple : *L'endroit de votre naissance (où)*
L'endroit où je suis né(e) a beaucoup changé.

Quelque chose qui vous fait envie (dont)

→ ....

Quelqu'un de très important pour vous (qui)

→ ....

Vous admirez beaucoup quelqu'un. Qui est cette personne ? (que)

→ ....

Vous vous inspirez de quelqu'un dans votre entourage. Qui est cette personne ? (dont)

→ ....

Vous travaillez avec des gens. Comment sont-ils ? (avec qui)

→ ....

Vous vous débrouillez avec des astuces. Lesquelles ? (avec lesquelles)

→ ....

UNITÉ 1

Complétez les phrases.

1. Cette scène est élégante.
→ .... est élégante, cette scène.

2. Ces vidéos sont amusantes.
→ .... sont amusantes, ces vidéos.

3. Tes idées sont bonnes.
→ .... sont bonnes, tes idées.

4. J'ai égaré tes lettres.
→ ...., je les ai égarées.

5. J'aime bien les chansons françaises.
→ Les chansons françaises, je .... aime bien.

6. Je ne comprends pas le théâtre d'avant-garde.
→ Le théâtre d'avant-garde, je ne .... comprends pas.

7. On a réédité ces romans.
→ Ces romans, on .... a réédités.

Cochez les bonnes réponses.

8. Cette actrice, je l'ai vu ☐ / vue ☐ au cinéma.

9. Tes remarques, je les ai noté. ☐ / notées. ☐

10. Ces conseils, tu dois les ☐ / t'en ☐ souvenir.

11. Ces ennuis, ils veulent s'en ☐ / les ☐ débarrasser.

Répondez en utilisant la mise en relief avec *c'est ... qui, c'est ... que.*

12. C'est en Grèce .... il est mort.

13. C'est au Japon .... nous avons étudié.

14. C'est à minuit .... ils sont arrivés.

15. C'est en plein jour .... nous repartirons.

16. C'est l'année dernière .... j'ai lu ça.

17. C'est ce peintre .... a fait un tableau superbe.

18. C'est le meilleur roman historique .... cet écrivain a écrit.

19. C'est demain .... on annoncera les prix littéraires.

20. Ce sont mes collègues .... voteront contre le projet.

21. C'est un nouveau projet .... le patron approuve.

Cochez les bonnes réponses.

22. C'est moi qui est ☐ / suis ☐ venu faire les présentations.

23. C'est vous qui faites ☐ / font ☐ ce bruit ?

24. C'est toi qui as ☐ / a ☐ joué ce rôle.

25. C'est nous qui sommes ☐ / sont ☐ coupables.

26. Pierre, c'est à lui ☐ / lui ☐ que j'écris.

27. C'est à toi ☐ / vous ☐ que je donne l'adresse ?

28. Ce dont ☐ / Ce qui ☐ j'ai horreur, c'est du vent d'hiver.

29 Ce qui ☐ nous fait plaisir, c'est l'été.
Ce que ☐

30. Ce que ☐ je crains, c'est un soleil trop fort.
Ce qui ☐

31. Il arrive ☐ d'autres invités pour la fête.
arrivent ☐

32. Il reste ☐ cinq minutes
restent ☐
avant la fin du cours.

UNITÉ 2

Complétez avec des pronoms, des adjectifs indéfinis, des adverbes.

33. Avez-vous appris .... de nouveau ?

34. On a eu .... difficultés à ce sujet.

35. Parmi les personnes présentes, ...-unes étaient assez mécontentes.

36. Y aura-t-il des parents à la réunion ? Oui mais il n'y en aura pas ....

37. Pour .... des candidats, l'épreuve était différente.

38. .... ne peut changer mon avis.

39. .... enfant n'est venu ce matin.

40. Je n'ai vu .... dans la rue.

41. .... des participants n'a envie de perdre.

42. .... seul joueur n'était en forme.

Cochez les bonnes réponses.

43. Concentre-toi et cesse de faire
n'importe qui. ☐
n'importe quoi. ☐

44. Il ne faudra pas mettre
n'importe quoi ☐ chemisier
n'importe quel ☐
avec cette jupe.

45. N'importe qui ☐ aurait fait
N'importe laquelle ☐
la même chose pour vous.

46. Tous les fruits sont bons, prenez
n'importe qui. ☐
n'importe lesquels. ☐

47. Ce chien mangerait n'importe lesquels. ☐
n'importe quoi. ☐

48. Quand je flâne, je me promène
n'importe où. ☐
n'importe quoi. ☐

49. Je ne vais quelque part ☐, je reste ici.
nulle part ☐

50. Elle vous attend quelque part. ☐
nulle part. ☐
dans le jardin.

51. Il est très désordonné, il met ses affaires
quelque part. ☐
n'importe où. ☐

Complétez les phrases.

52. Il a parlé à son voisin pendant .... le film.
53. Il a travaillé sur son texte .... la nuit.
54. Nous faisons le même trajet .... les jours.
55. On ne peut pas s'amuser .... les fois qu'on voudrait.

Cochez la bonne réponse.

56. Les stagiaires ne sont pas tous ☐ venus.
tout ☐

57. Ils étaient
toutes ☐ contents de leurs résultats.
tous ☐

58. Elles ont été
tous ☐ bouleversées devant l'incident.
toutes ☐

59. Beaucoup ☐ des jeunes n'aiment pas ☐
La plupart ☐ n'aime ☐
ce style de musique.

60. Chaque ☐ membre de la famille
Chacun ☐
participe aux travaux ménagers.

61. Chaque ☐ des étudiantes était venue
Chacune ☐
saluer le professeur.

62. Chacun ☐ des hommes parlait à son tour.
Chacuns ☐

63. Aucun ☐ des hommes parlaient
Certains ☐
à voix basse.

Complétez les phrases.

64. Je ne bois .... vin .... bière.

65. Prenez .... le rouge .... le blanc.

66. .... il est riche, mais en plus il est célèbre

Classez les compléments dans le tableau ci-dessous.

67. La saison a été belle / cette année / dans notre région.

68. Nous sommes partis / en voiture / pour la campagne / un jour.

69. À sa manière / chacun s'amusait / dans les champs.

70. Dans la rivière / certains se sont baignés / pendant des heures.

71. À pied / d'autres ont fait des excursions / dans la forêt de pins.

72. Vers 5 heures / de gros nuages se sont amassés / sur l'horizon lointain.

73. Une heure plus tard / à toute vitesse / on a dû rentrer.

	Quand ?	Où ?	Comment ?
67.			
68.			
69.			
70.			
71.			
72.			
73.			

UNITÉ 3

Complétez avec un pronom démonstratif ou un pronom relatif.

74. Prenez ces gâteaux, ... que j'ai préparés.

75. Il faut suivre cette rue, ... qui donne sur la place.

76. Vous avez lu ces articles, ... dont je vous ai parlé ?

77. Voici le disque, ... dont vous aviez envie.

78. Regardez les photos, ... que nous avons prises hier.

79. Donnez-moi la revue, ... qui est à côté de vous.

80. C'est un ancien patron .... nous avons gardé un bon souvenir.

81. Voilà le copain avec .... je m'entraîne tous les jours.

82. C'est une œuvre à .... on a consacré beaucoup de temps.

83. Où sont les outils avec .... on a réparé la voiture ?

84. J'ai trouvé tout ce .... j'avais besoin.

85. Je fais seulement ce .... me plaît.

86. Il faut expliquer clairement ce .... vous critiquez.

87. Ce qui ☐ me plaît, ce sont les vacances.
Ce que ☐

88. Ce dont ☐ il ne parle plus, c'est d'argent.
Ce qui ☐

89. Ce dont ☐ ils rêvent,
Ce que ☐
c'est d'être respectés.

Complétez avec les mots de la comparaison.

90. Ces arbres sont tous très verts : ils ont autant .... feuillage les uns que les autres.

91. Ils ont assez mangé tous les deux, l'un autant .... l'autre.

92. Ils ont beaucoup aimé le film, plus .... moi, à vrai dire.

93. Il n'est pas raisonnable : il a moins .... patience que les autres.

94. .... on lit, ... on enrichit son vocabulaire.

95. .... les prix augmentent, ... de gens peuvent consommer.

96. .... il est bavard, ... sa femme est réservée.

➤ *Maintenant, regardez les réponses dans les* **Corrigés**, *comptez le nombre de vos réponses correctes et faites l'addition :* $\frac{\quad}{96}$

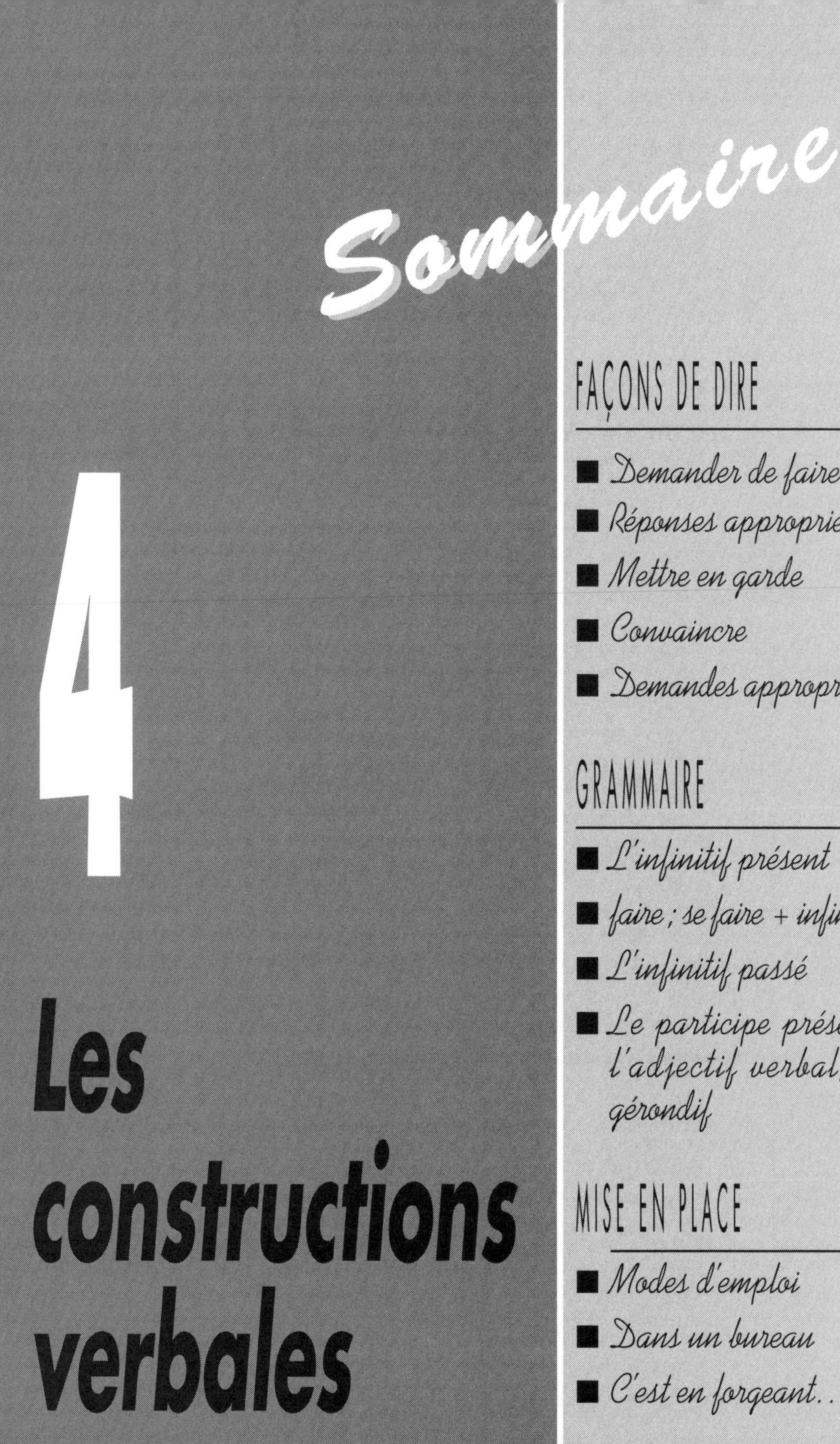

Sommaire

FAÇONS DE DIRE

- *Demander de faire*
- *Réponses appropriées*
- *Mettre en garde*
- *Convaincre*
- *Demandes appropriées*

GRAMMAIRE

- *L'infinitif présent*
- *faire ; se faire + infinitif*
- *L'infinitif passé*
- *Le participe présent, l'adjectif verbal, le gérondif*

MISE EN PLACE

- *Modes d'emploi*
- *Dans un bureau*
- *C'est en forgeant...*

1. Demander de faire.

Quelles sont dans la liste ci-dessous les demandes qui correspondent à chacune des situations indiquées ?

Tu veux bien m'aider à faire mon devoir de maths ? / Voulez-vous me taper ces lettres ? / Va me chercher du pain pour le déjeuner. / Tu pourrais me prêter cinq cents francs ? / Rapportez-moi les dossiers sur l'entreprise Dubois, s'il vous plaît. / N'hésitez pas à m'appeler en cas de besoin.

a. Votre voisine est malade. → ....

b. Le guichet automatique de votre banque est en panne. → ....

c. Vous préparez une réunion de travail. → ....

d. Un courrier urgent doit partir. → ....

e. Vous êtes occupée dans votre cuisine. → ....

f. Vous n'êtes pas un très bon élève. → ....

2. Réponses appropriées.

Choisissez dans la liste ci-dessous la réponse appropriée.

Je n'y manquerai pas. / Désolé, je n'ai pas le temps. / Vous devriez insister. / À ta place, je dirais oui ! / Calme-toi, je t'en prie ! / Tu ferais mieux de prolonger ton séjour. / Reposez-vous un peu. / Il vaut mieux que tu y ailles.

a. Je n'ai vraiment pas envie de me rendre à la convocation du directeur ! → ....

b. Elle ne veut pas m'accorder de rendez-vous. →....................................

c. Je suis mort de fatigue. → ....

d. Je ne sais pas si je dois accepter ce poste, qu'en penses-tu ? → ....

e. Il fait un temps magnifique ici ! → ....

f. Je trouve intolérable qu'on me parle sur ce ton ! → ....

g. Vous transmettrez mon meilleur souvenir à votre frère. → ....

h. Tu entres prendre un café ? → ....

3. Mettre en garde.

Regroupez ces phrases par paires selon leur sens.

a. Je vous préviens qu'il fait très froid.

b. Méfiez-vous, il s'offense facilement.

c. Prenez garde au verglas.

d. Tu dois être prudent ou tu auras des regrets.

e. Ne touchez pas à ce produit.

f. Fais attention, il est très susceptible.

g. Je te signale qu'il y a du verglas partout.

h. Soyez prudents, sinon vous le regretterez.

i. Évitez tout contact direct avec ce produit.

j. Je te préviens qu'il fait un froid de canard.

4. Convaincre.

Réunissez les éléments correspondants de chaque colonne pour mieux convaincre votre interlocuteur.

a. Achetez ce modèle-ci,	1. vous y trouverez les informations dont vous avez besoin.
b. Allez en Australie,	2. c'est très urgent.
c. Prenez ce livre,	3. c'est le moins cher.
d. Votez pour Renard,	4. c'est le plus beau pays du monde.
e. Il faut que vous veniez,	5. le candidat de l'avenir.

a. … *b.* … *c.* … *d.* … *e.* …

5. Demandes appropriées.

Quelle est la demande appropriée dans chacune des situations suivantes.

1. Vous êtes en avion et vous demandez poliment à l'hôtesse un verre d'eau.

a. Hep ! un verre d'eau !

b. Vous avez pas un verre d'eau ?

c. Est-ce que je pourrais avoir un verre d'eau ?

2. Une bonne collègue frappe à la porte de votre bureau. Vous lui dites d'entrer.

a. Entrez, Jeanne.

b. Voudriez-vous avoir l'obligeance d'entrer ?

c. Vous pouvez entrer si vous voulez.

3. À l'hôtel vous demandez avec courtoisie à une personne qui passe où est l'ascenseur.

a. L'ascenseur, c'est où ?

b. Montrez-moi l'ascenseur, et vite !

c. Excusez-moi monsieur, où est l'ascenseur ?

4. Un ami a l'habitude de fumer de gros cigares. Vous essayez de le convaincre de s'arrêter.

a. Tu pourrais cesser de fumer peut-être ?

b. Ne fume plus, va.

c. Il faut que tu arrêtes, c'est absolument nocif pour ta santé.

5. En voiture, emmenant votre fils malade à la clinique, vous dépassez la limite de vitesse. L'agent de police vous arrête pour vous dresser un procès-verbal. Vous voulez l'en dissuader. Vous dites :

a. N'insistez pas, c'est pas la peine, je ne paie pas.

b. Non mais vous ne voyez pas que je suis pressé ?

c. Soyez compréhensif, il s'agit d'une urgence.

6. Vous conseillez à un ami de passer un concours qui lui permettra d'avoir un meilleur poste. Vous lui dites :

a. À ta place, je passerais le concours.

b. Peux-tu passer ce concours ?

c. Attention à ce concours !

7. Vous essayez de persuader le fils d'un ami de lire davantage. Vous lui dites :

a. Lis, veux-tu !

b. Il vaut mieux que tu lises le plus possible, ça te servira.

c. Lis, sinon tu le regretteras.

8. Votre fille veut partir seule en auto-stop. Vous essayez de l'en dissuader à cause du risque.

a. Ce serait bien que tu n'y ailles pas seule.

b. Je te préviens, il est très dangereux de voyager seule.

c. Peut-être que tu ne dois pas partir seule ?

GRAMMAIRE

1. Complétez avec *à* ou *de*.

Exemple : *le plaisir .... chanter → le plaisir* ***de*** *chanter*
une machine .... écrire → une machine ***à*** *écrire*

		à *ou* de	
a.	la joie		vivre
b.	une salle		manger
c.	une machine		laver
d.	le besoin		créer
e.	la peur		s'engager
f.	un couteau		découper
g.	un album		colorier
h.	la liberté		penser

2. Exprimez la préférence selon le modèle.

Exemple : *Tu as envie de voir ce film ?*
→ Je préfère en voir un autre.
Tu as envie d'écouter ces chansons ?
→ Je préfère en écouter d'autres.

a. Tu as envie de louer ce vélo ? → ....
b. Il désire prendre cette photo ? → ....
c. Elles aimeraient acheter ces vidéocassettes ? → ....
d. Tu as l'intention de lire ces bandes dessinées ? → ....
e. Ils ont l'intention de suivre ce feuilleton ? → ....
f. Elle voudrait garder ces magazines ? → ....

3. Faites des phrases selon le modèle.

Exemple : *J'arriverai bientôt. Je l'espère.*
→ J'espère arriver bientôt.
Vous arriverez bientôt. Je l'espère.
→ J'espère que vous arriverez bientôt.

a. Je gagnerai au loto. Je l'espère. → ....
b. Vous gagnerez au loto. Je l'espère. → ....
c. Nous nous reposerons demain.
Nous le pensons. → ....
d. Tu te rendras compte de la situation.
Nous le pensons. → ....
e. Il se rendra au carnaval. Il le promet. → ....
f. Les enfants se rendront au carnaval. Il le dit. → ....

Exemple : *Je pars. Cela m'ennuie.*
→ Cela m'ennuie de partir.
Vous partez. Cela m'ennuie.
→ Cela m'ennuie que vous partiez.

g. Je rate le début de l'émission. Cela m'ennuie. → ....
h. Vous ratez le début de l'émission. Cela m'ennuie. → ....
i. Il pleure. Cela la gêne. → ....
j. Nous pleurons. Cela le gêne. → ....
k. Tu ne comprends pas. Cela me vexe. → ....
l. Nous acceptons l'invitation. Cela lui fait plaisir. → ....

4. Faites des phrases selon le modèle.

Exemple : *Tu admets que tu as menti. → Tu admets avoir menti.*
Elle pense qu'elle s'est trompée. → Elle pense s'être trompée.
Nous sommes convaincus que nous avons trouvé la bonne solution.
→ Nous sommes convaincus d'avoir trouvé la bonne solution.

a. Je crois que j'ai deviné le résultat. → ....

b. Vous avouez que vous avez changé d'idée ! → ....

c. Ils s'imaginent qu'ils seront admis au cours. → ....

d. Elle est certaine qu'elle s'est classée parmi les meilleures. → ....

e. Je suis sûr que j'ai déjà rencontré cette personne. → ....

5. Faites des phrases selon le modèle.

Exemple : *Je soupçonne que Pierre est coupable.*
→ Je le soupçonne d'être coupable.

Elle jure à ses parents qu'elle les invitera souvent.
→ Elle leur jure de les inviter souvent.

a. Il soupçonne que Marguerite est malade.
→ ....

b. Nous soupçonnons que Bernard et Jacqueline sont amoureux.
→ ....

c. Elle promet aux enfants qu'elle les emmènera au zoo.
→ ....

d. Vous avez promis aux clients que vous les protègerez.
→ ....

Exemple : *Nous croyons qu'il est un peu naïf.*
→ Nous le croyons un peu naïf.

e. Il croit qu'elle est très habile. → ....

f. Tu croyais qu'ils étaient vraiment doués. → ....

g. Vous imaginez qu'il est déjà très riche. → ....

h. J'espérais qu'elle était en meilleure santé. → ....

6. Mettez ensemble les deux phrases.

Exemple : *Elle est contente. Elle a retrouvé ton adresse.*
→ Elle est contente d'avoir retrouvé ton adresse.

a. Elle est contente. Elle a reçu de tes nouvelles.
→ ....

b. Il est soulagé. Il est rentré chez lui.
→ ....

c. Ils sont fatigués. Ils se sont promenés en ville.
→ ....

d. Je suis heureuse. J'ai fait votre connaissance.
→ ....

e. Tu n'es pas content. Tu as eu un accident.
→ ....

f. Nous ne sommes pas satisfaits. Nous avons perdu le procès.
→ ....

g. Ils ne sont pas fiers. Ils se sont trompés.
→ ....

h. Il est désolé. Il vous a fait de la peine.
→ ....

7. Faites des phrases avec *faire* + infinitif.

Je répare l'ordinateur.
Je fais réparer l'ordinateur.

Exemple : *Hélène n'enregistre pas sa plainte elle-même.*
Hélène fait enregistrer sa plainte.

a. Elle n'apporte pas le courrier elle-même.
→ ....

b. Il n'annonce pas les augmentations de salaire lui-même.
→ ....

c. Elles ne préparent pas les bagages elles-mêmes.
→ ....

d. Ils n'appellent pas un taxi eux-mêmes.
→ ....

Exemple : *Dominique ne réservera pas sa place lui-même. (le secrétaire)*
→ Dominique fera réserver sa place par le secrétaire.

e. Il n'expliquera pas la nouvelle organisation lui-même. (le directeur du personnel)
→ ....

f. Vous n'enverrez pas le produit vous-même. (l'employé)
→ ....

g. Nous ne traduirons pas le document nous-mêmes. (l'interprète)
→ ....

Exemple : *Pierre a fait venir ses parents. (oui)*
→Pierre les a fait venir.
Pierre a fait venir ses parents. (non)
→ Pierre ne les a pas fait venir.

h. Il a fait venir le médecin. (oui)
→ ....

i. Elle a fait entrer les étudiantes. (oui)
→ ....

j. Il a fait rire les spectateurs. (non)
→ ....

k. Ils ont fait attendre les visiteurs. (non)
→ ....

l. Nous avons fait partir le chien. (non)
→ ....

Elle se fait respecter.

Elle s'est fait respecter.

Elles se font respecter.

Elles se sont fait respecter.

8. Faites des phrases.

Exemple : *Elle / se faire comprendre / en français*
→ *Elle se fait comprendre en français.*
→ *Elle s'est fait comprendre en français.*

a. Ils / se faire entendre → ....
→ ....

b. Elle / se faire soigner efficacement → ....
→ ....

c. Tu / se faire servir dans la chambre → ....
→ ....

d. Vous / se faire remarquer → ....
→ ....

e. Nous / se faire couper les cheveux → ....
→ ....

f. On / se faire arrêter par la police → ....
→ ....

Pour dessiner ses plans
il s'est enfermé dans son bureau.

Avant de dessiner ses plans
il a pris une feuille de papier.

Après avoir dessiné ses plans
il les a montrés au chef
de bureau.

9. Faites des phrases.

Exemple : *Après / étudier les plans / l'architecte / les a corrigés*
→ *Après avoir étudié les plans, l'architecte les a corrigés.*

a. Pour / faire construire une maison / nous / acheter un terrain
→ ....

b. Avant / faire construire une maison / nous / consulter un architecte
→ ....

c. Après / restaurer la maison / nous / décider de vendre
→ ....

d. Avant / organiser un voyage / il / téléphoner à une agence de tourisme
→ ....

e. Après / lire le schéma de fonctionnement / on / brancher la télé
→ ....

f. Avant / comprendre le mode d'emploi / ils / le relire plusieurs fois
→ ....

Après être restée chez elle
toute la journée
elle est allée au cinéma.

Après s'être couchée
de bonne heure
elle a dormi toute la nuit.

10. Faites des phrases.

Exemple : *Je / sortir / ensuite, je / retrouver mes amis*
→ *Après être sortie, j'ai retrouvé mes amis.*
Je / s'amuser / ensuite, je / rentrer
→ *Après m'être amusée, je suis rentrée.*

a. Nous / arriver / ensuite, nous / rencontrer toute la famille
→ ....

b. Ils / revenir / ensuite, ils / bavarder jusqu'à minuit
→ ....

c. Elles / s'embrasser / ensuite, elles / se séparer
→ ....

d. Nous / se disputer / ensuite, nous / se quitter
→ ....

e. Vous / se quitter / ensuite, vous / avoir du chagrin
→ ....

11. Après avoir, après être ou après s'être ? Mettez ensemble les deux phrases.

Exemple : *Pascal et Marie ont pris le bus. Ils arrivent au centre-ville.*
→ Après avoir pris le bus, Pascal et Marie sont arrivés au centre-ville.

a.	Ils arrivent au centre-ville.	Ils cherchent une quincaillerie.
b.	Ils trouvent une quincaillerie.	Ils entrent dans le magasin.
c.	Ils entrent dans le magasin.	Ils vont au rayon des outils de jardinage.
d.	Ils vont au rayon des outils de jardinage.	Ils regardent les bêches.
e.	Ils choisissent leur bêche.	Ils appellent une vendeuse.
f.	Ils appellent une vendeuse.	Ils se mettent d'accord sur le prix.
g.	Ils se mettent d'accord sur le prix.	Ils achètent l'outil.
h.	Ils achètent l'outil.	Ils sont repartis heureux.

a. ....
b. ....
c. ....
d. ....
e. ....
f. ....
g. ....
h. ....

12. Faites des expressions avec un adjectif verbal.

donner	→ donnant
finir	→ finissant
sortir	→ sortant
attendre	→ attendant
avoir	→ ayant
être	→ étant
savoir	→ sachant

Exemple : *une question qui préoccupe → une question préoccupante.*

a. une réponse qui satisfait → ....
b. une couleur qui brille → ....
c. un médicament qui tranquillise → ....
d. une idée qui étonne → ....
e. un personnage qui surprend → ....
f. un savon qui adoucit → ....
g. une eau qui pétille → ....
h. une personne qui attire → ....

C'est une question *préoccupante.*

C'est une question *préoccupant* tous les locataires.

13. Faites des phrases.

Utilisez le participe présent pour remplacer le pronom relatif + le verbe

Exemple : *Les renseignements (qui concernent) la faillite ont été communiqués par écrit.*
→ *Les renseignements concernant la faillite ont été communiqués par écrit.*

a. Les ingénieurs (qui travaillent) sur les nouveaux ordinateurs sont très occupés.
→ ....

b. Le fonctionnaire (qui remplit) la tâche de coordination est l'ingénieur Schnell.
→ ....

c. Les biens (qui répondront) aux besoins du public se vendront vite.
→ ....

d. On cherche une personne (qui sache) rédiger des rapports.
→ ....

e. Seules les personnes (qui ont) une carte de membre seront admises au club.
→ ....

f. Tous les passagers (qui possèdent) une carte d'embarquement doivent se présenter porte C.
→ ....

g. On recherche un enfant (qui porte) une veste rouge et un pantalon gris.
→ ....

h. Seuls les étudiants (qui finissent) leurs devoirs à temps réussiront.
→ ....

Comme / Puisque vous travaillez plus que les autres → vous réussirez.

Travaillant plus que les autres → Vous réussirez.

14. Faites des phrases.

Utilisez le participe présent pour exprimer la cause.

Exemple : *Comme il connaissait le problème, il hésitait à parler.*
→ *Connaissant le problème, il hésitait à parler.*

a. Comme elle connaissait le nombre de participants au concours, elle doutait de son succès.
→ ....

b. Puisque nous avions plus de réserves que nos concurrents, nous nous sentions en sécurité.
→ ....

c. Comme on dormait à la belle étoile, on éprouvait un sentiment de paix.
→ ....

d. Comme tu voulais finir ton livre, tu n'avais pas envie de sortir.
→ ....

e. Puisque vous étiez sur les lieux, vous avez remarqué l'état du terrain.
→ ....

15. Faites des phrases.

Utilisez le gérondif pour exprimer la manière.

Exemple : *Ils ont approvisionné le compte ; ils ont versé cent francs.*
→ Ils ont approvisionné le compte en versant cent francs.

a. Il gagnait sa vie ; il travaillait dans la sidérurgie.
→ ....

b. Elles ont appris les langues ; elles ont vécu à l'étranger.
→ ....

c. Elle obtiendra un travail intéressant ; elle fait des études approfondies.
→ ....

d. L'ouvrier a déplacé la voiture, il a utilisé un robot.
→ ....

e. Nous aurons une augmentation des bénéfices ; nous limiterons les coûts de production.
→ ....

Comment est-il sorti de l'usine ?
Il est sorti de l'usine ;
il marchait d'un pas lent.

Il est sorti de l'usine
en marchant d'un pas lent.

16. Faites des phrases.

Utilisez le gérondif pour exprimer la simultanéité.

Exemple : *Les enfants étudient et écoutent la radio.*
→ Les enfants étudient en écoutant la radio.

a. On ne peut pas améliorer nos profits et perdre de l'argent.
→ ....

b. Le chef du personnel lisait les dossiers de candidature ; il réfléchissait.
→ ....

c. Elle a parlé avec sa collègue ; elle attendait un coup de téléphone.
→ ....

d. Nous allons lire le journal ; nous allons boire un café.
→ ....

e. Je préparerai les brochures ; j'attendrai le retour de mon patron.
→ ....

Il travaillait et il écoutait
de la musique.

Il travaillait et écoutait
de la musique.

Il travaillait en écoutant
de la musique.

17. Faites des phrases.

Utilisez le gérondif pour exprimer la condition.

Exemple : *Si elle s'y met vraiment, elle arrivera à maigrir.*
→ En s'y mettant vraiment, elle arrivera à maigrir.

a. Si vous y réfléchissez, vous trouverez une meilleure solution.
→ ....

b. Si elles se réfèrent au modèle, elles auront moins de difficultés.
→ ....

c. Si on permet trop de constructions, on créera un quartier trop bruyant.
→ ....

La condition pour trouver
une bonne place
c'est d'arriver à l'heure.

Si vous arrivez à l'heure
vous trouverez une bonne
place.

En arrivant à l'heure
vous trouverez une bonne
place.

d. Si tu t'instruisais, tu obtiendrais le diplôme nécessaire.

→ ....

e. Si je prends la voiture, j'arriverai beaucoup trop tôt.

→ ....

18. Les valeurs du participe présent et du gérondif.

Dites si dans les phrases suivantes, le participe présent indique la manière (M), la simultanéité (S), la cause (Ca) ou la condition (Co).

	M	S	Ca	Co
Exemple : *Il tapait du pied en sifflant.*		✗		
a. Les ouvriers faisaient beaucoup de bruit en découpant des pièces en métal.				
b. Connaissant leur mentalité, il hésitait à les interrompre.				
c. En faisant des heures supplémentaires, ils ont gagné des primes.				
d. Les ouvriers pointaient en arrivant et en quittant le travail.				
e. La direction a entrepris des changements en licenciant des cadres.				
f. En introduisant des contrôles sévères, on pourra réduire ces pertes.				
g. Les ouvriers se saluaient en reprenant leur poste.				
h. En réduisant les bénéfices, on pourrait sauver des emplois.				
i. Désirant augmenter la productivité, le directeur commence à installer des robots dans son entreprise.				

MISE EN PLACE

1. Modes d'emploi.

a. **un grille-pain**

Expliquez à quelqu'un comment utiliser le grille-pain. Attention, les dessins ne sont pas dans l'ordre.

brancher l'appareil
Couper le pain en tranches
laisser tomber le pain dans la fente.
Mettre en marche l'appareil
reprendre les tranches grillées.

D'abord, on ....
Ensuite, vous ....
Puis, ...
Vous pouvez alors ....
Enfin ....

b. Complétez avec un verbe choisi dans la liste ci-dessous ce mode d'emploi pour **un amplificateur**.

S'assurer ; mettre en marche ; exposer ; rechercher ; débrancher ; tourner ; tenir ; couper ; suivre.

N' .... jamais cet amplificateur directement au soleil.

.....................-le éloigné de toute source thermique et de tout appareil de chauffage.

Avant de mettre en marche votre amplificateur, ... que les fils de connection des enceintes sont correctement branchés.

.... toujours la commande du volume de votre amplificateur dans le sens contraire des aiguilles d'une montre lorsque vous .... l'un des composants de votre chaîne.

Avant de modifier les connections, ... la prise de courant de votre amplificateur.

Si vos enceintes ne produisent aucun son ou que celui-ci soit mauvais .... l'alimentation de l'amplificateur. Puis .... la cause de l'incident à l'aide de votre manuel.

Pour une utilisation correcte de votre amplificateur, ... les instructions du mode d'emploi.

2. Dans un bureau.

Vous êtes responsable de l'administration d'un bureau. Qu'est-ce que vous avez fait dans les situations suivantes ? Utilisez les verbes et expressions de la liste ci-dessous :

Réparer ; traduire ; entrer ; suivre ; signer ; fermer ; nettoyer ; commander ; corriger ; reconduire chez lui ; mettre à l'heure ; changer.

a. Votre photocopieuse tombe en panne.
b. Vous recevez le courrier d'un collègue qui n'est plus au bureau.
c. Un contrat arrive de la société Tafel.
d. Vous recevez une lettre en allemand.
e. La voiture de votre adjointe est sale.
f. Deux clientes attendent dans la salle d'attente.
g. Un collègue de bureau ne se sent pas bien.
h. Une porte laisse entrer trop d'air froid.
i. Une lettre importante est pleine d'erreurs.
j. Le ruban de la machine est usé.
k. La directrice veut des boissons pour ses clients.
l. L'horloge est en retard.

a. Je l'ai fait réparer.
b. ....
c. ....
d. ....
e. ....
f. ....
g. ....
h. ....
i. ....
j. ....
k. ....
l. ....

3. C'est en forgeant qu'on devient forgeron

Écrivez cinq phrases construites de façon similaire et qui illustrent une maxime.

Exemple : → *C'est en écrivant qu'on devient écrivain.*

a. photographe → ....
b. dessinateur → ....
c. bricoleur → ....
d. couturier → ....
e. peintre → ....

5

Le temps
La cause
La conséquence

FAÇONS DE DIRE

- *Proposer*
- *Faire préciser, insister, confirmer, promettre*
- *Demander de justifier*

GRAMMAIRE

- *Constructions avec des expressions de temps*
- *Constructions avec des expressions de cause*
- *Constructions avec des expressions de conséquence*

MISE EN PLACE

- *Interview à la radio*
- *Slogans publicitaires*
- *Une découverte troublante*
- *Emplois du temps*

1. Proposer.

Indiquez la phrase la plus familière (FA) et la phrase la plus formelle (FO).

a. ...... Tu n'as pas de voiture ? Prends la mienne.
...... Tu veux que je te prête ma voiture ?
...... Prends ma voiture, si ça t'arrange.

b. ...... On pourrait se tutoyer, si vous voulez ?
...... Ça vous dit qu'on se tutoie ?
...... On se dit tu ?

c. ...... J'envisage d'aller au théâtre. Tu voudrais m'accompagner ?
...... Viens, on va au théâtre ?
...... Aller au théâtre, ça te ferait plaisir ?

d. ...... J'ai une proposition à vous faire au sujet d'un voyage en Indonésie.
...... Ça vous dirait de faire un voyage en Indonésie ?
...... Pourquoi ne pas partir ensemble en voyage en Indonésie ?

e. ...... C'est d'accord, on se voit pour étudier le projet ?
...... Je propose d'organiser une réunion pour étudier le projet.
...... Vous ne voulez pas qu'on se réunisse pour étudier le projet ?

f. ...... J'ai décidé de chercher un nouveau travail.
...... J'ai l'intention de me mettre à la recherche d'un nouveau poste.
...... Je ne suis pas sûre de rester dans ce boulot.

2. Faire préciser, insister, confirmer, promettre.

Indiquez pour chaque réplique si l'intention de communication est : Faire préciser (**FP**) ; insister (**I**) ; confirmer (**C**) ; promettre (**P**).

a. ...... – Qu'est-ce que ça veut dire ?
...... – Allez, dites-le-nous !
...... – Je m'engage à vous le dire demain.

b. ...... – C'est bien le 11 novembre ?
...... – Je vous assure que c'est le 11 novembre.

c. ...... – Tu ne vas pas encore oublier ton agenda demain !
...... – C'est promis !

d. ...... – C'est-à-dire ?
...... – Je tiens compte de votre point de vue mais il me faut absolument une décision.

e. ...... – Alors, c'est toujours non ?
...... – Je te donne ma parole que je ne changerai pas d'avis.

3. Demander de justifier.

Pour chaque question, trouvez dans la liste des justifications ci-dessous celle qui est appropriée.

Je n'ai pas eu le temps. / Parce que je dois être à Londres cet après-midi. / Prendre des vacances ? Mais je suis tellement occupé en ce moment. / Parce que ça te servira plus tard. / Je ne sais pas moi, parce qu'elle me plaisait. / Nous avons eu un accident. / Nous sommes allés prendre un café. / À quoi est-ce que ça me servirait puisque je n'aime pas la musique ? / Manifestons pour la paix. / Je suis trop fatigué pour aller au cinéma. / Je l'aime tellement que je le lis encore une fois.

a. Pourquoi dois-tu prendre l'avion de midi ?
→ ....

b. Pourquoi as-tu choisi cette petite route ?
→ ....

c. Pourquoi ne prends-tu pas de vacances ?
→ ....

d. Pourquoi ne m'as-tu pas écrit ?
→ ....

e. Pourquoi faire des études ?
→ ....

f. Comment se fait-il que vous arriviez si tard ?
→ ....

g. Je me demandais ce que vous faisiez.
→ ....

h. Tu refuses de sortir ?
→ ....

i. Tu n'as toujours pas de chaîne hi-fi ?
→ ....

j. Je ne comprends pas que tu relises ce roman.
→ ....

k. Quelle attitude faut-il adopter face à la guerre ?
→ ....

4. Où est passé mon argent ?

Vous allez à la banque pour retirer de l'argent au distributeur automatique de billets. L'écran indique que votre compte est à découvert. Vous êtes sûre qu'il y a une erreur parce que vous avez versé de l'argent sur votre compte la veille. Vous entrez à la banque et demandez à une employée pourquoi votre compte est vide. Rédigez un dialogue à partir du scénario suivant :

a. L'employée à qui vous expliquez la situation dit qu'elle ne peut rien faire.
→ ....

b. Vous insistez, en vous justifiant (versement la veille sur votre compte).
→ ....

c. Elle vous demande de préciser la date de votre versement.

→ ....

d. Vous confirmez la date.

→ ....

e. Elle propose une explication du déficit (compte déjà à découvert, versement insuffisant).

→ ....

f. Vous n'êtes pas d'accord.

→ ....

g. Elle vous promet de trouver, avant la fin de la journée, la raison du déficit.

→ ....

h. Vous exprimez votre mécontentement parce que vous avez besoin d'argent tout de suite.

→ ....

i. Elle propose une solution de compromis.

→ ....

GRAMMAIRE

Mon fils part à 7 heures.
Moi aussi.

Je pars en même temps que lui.

1. Faites des phrases exprimant la simultanéité des actions.

Exemple : *Mon patron part à 7 heures. Moi aussi.*
→ Je pars en même temps que lui.

a. Mon patron termine à 20 heures. Moi aussi. → ....

b. Ma collègue reprend le travail cet après-midi. Eux aussi. → ....

c. Mes voisins iront à la campagne demain. Toi aussi. → ....

d. Tu es revenue de vacances hier. Nous aussi. → ....

e. Je suis arrivé de l'usine il y a une heure. Elle aussi. → ....

le temps de + infinitif

le temps que + subjonctif

2. Faites des phrases exprimant la durée d'une action.

Exemple : *Le temps de prendre un café (Sophie), Stéphane a rédigé son rapport.*
→ Le temps que Sophie prenne un café, Stéphane a rédigé son rapport.

a. Le temps de prendre ses affaires (Jacques), Florence était prête.

→ ....

b. Le temps de prendre des notes (nous), Madeleine a conçu la stratégie à adopter.

→ ....

c. Le temps d'aller au bureau principal (vous), Régine a trouvé la solution.
→ ....

d. Le temps de boire un apéritif (tu), Paul a raconté son projet.
→ ....

e. Le temps de faire deux courses (ils), Didier a dépensé ses économies.
→ ....

3. Faites des phrases avec *depuis que*.

depuis + nom
depuis que + indicatif

Exemple : *Depuis mon stage d'apprentissage, je suis devenu ouvrier qualifié. (faire un stage)*
***Depuis que** j'ai fait mon stage d'apprentissage, je suis devenu ouvrier qualifié.*

a. Depuis sa promotion, Florence n'a plus de soucis d'argent. (obtenir une promotion).
→ ....

b. Il voyage beaucoup depuis sa nomination comme P.-D.G. (être nommé comme P.-D.G.)
→ ....

c. Depuis l'arrivée de ses amis, ma fille n'a plus le temps de travailler. (arriver)
→ ....

d. Depuis son opération, il ne touche plus que la moitié de son salaire. (être opéré)
→ ....

e. Depuis sa spécialisation dans l'informatique, on propose à Jacques beaucoup de missions diverses. (se spécialiser)
→ ....

4. Transformez les phrases selon le modèle.

pendant + nom
pendant que + indicatif

après + nom
après que + indicatif

avant + nom
avant que + subjonctif

dès + nom
dès que + indicatif

Exemple : *il est réveillé avant la sonnerie du réveil.*
*→ Il est réveillé **avant que** le réveil sonne.*

a. Le jeune cadre est debout dès le lever du jour.
→ ....

b. Il prend une demi-heure pour déjeuner pendant la fermeture des bureaux.
→ ....

c. Il n'a pas le temps de se détendre vraiment avant la reprise du travail.
→ ....

d. Après le licenciement de dix salariés, il a peur de perdre lui aussi son emploi.
→ ....

e. Ce jour-là, il devait terminer son rapport avant le départ du directeur.
→ ....

f. Le directeur l'a fait appeler dans son bureau après la signature du courrier.
→ ....

g. Pendant la discussion, le téléphone n'a pas cessé de sonner.
→ ....

h. Dès la fin de l'entrevue, le directeur l'a félicité pour la qualité de son travail.

→ ....

i. Pendant le dîner avec ses amis, il pensait à une possible augmentation de salaire.

→ ....

jusqu'à + nom
jusqu'à ce que + subjonctif

en attendant + nom
en attendant que + subjonctif

5. Faites des phrases avec *en attendant que*.

Exemple : *Je suis en congé en attendant la fin de la grève.*
→ *Je suis en congé* ***en attendant que*** *la grève finisse.*

a. L'usine sera fermée en attendant le redémarrage de l'économie.

→ ....

b. Il faut patienter jusqu'au départ du bus.

→ ....

c. Ils parlaient ensemble en attendant la reprise du travail.

→ ....

d. Ils ont attendu jusqu'à l'arrivée de l'invité d'honneur.

→ ....

e. Nous avons bavardé tranquillement en attendant l'ouverture des bureaux.

→ ....

f. Nous continuons à dresser le bilan jusqu'à la fermeture de l'entreprise.

→ ....

Je t'aimerai
aussi longtemps que / tant que
la terre tournera.

6. Répondez en utilisant *aussi longtemps que*.

Exemple : *Vous ferez de la recherche longtemps ? (pouvoir)*
→ *Je ferai de la recherche* ***aussi longtemps que*** *je le pourrai.*

a. Nous pouvons parler longtemps ensemble ? (désirer)

→ ....

b. Ils jouent longtemps dans ce parc ? (souhaiter)

→ ....

c. Tu resteras longtemps à ce poste ? (vouloir)

→ ....

d. Vous avez séjourné longtemps là-bas tous les deux ? (pouvoir)

→ ....

e. Il travaillait longtemps sur ce problème ? (devoir)

→ ....

7. Faites correspondre les deux parties de la phrase.

Exemple : *Vous ferez de la recherche .... vous pourrez.*
→ *Vous ferez de la recherche* ***tant que*** *vous pourrez.*

a.	Les capitaux étrangers restent ici	1.	on achètera nos produits ailleurs.
b.	Malgré son âge il a travaillé	2.	on avait un budget équilibré.
c.	Le marché français sera en péril	3.	nous n'avons pas eu de solides garanties.
d.	On ne courait pas de risques	4.	nous employons des stratégies pour les garder.
e.	Nous ne sommes pas allés vers ce marché	5.	il a pu.

a. ... b. ... c. ... d. ... e. ...

8. Le temps ou l'opposition ?

Dites si *alors que* et *tandis que* indiquent le temps (T) ou l'opposition (O) dans les phrases suivantes.

Exemple : *Il est arrivé alors que nous discutions des changements. (T)*
Elle est arrivée ce matin ***alors qu'****elle devait venir dimanche. (O)*

		T	O
a.	Alors que les magasins fermaient, on a vu éclater l'orage.		
b.	Nous craignions une mauvaise nouvelle alors que la décision a été favorable.		
c.	Les ouvriers sortaient alors que les sirènes de l'usine retentissaient.		
d.	On peut compter sur cet employé tandis que l'autre est moins sûr.		
e.	Tandis que l'orateur parlait, on a entendu crier les manifestants.		
f.	Ce produit se vend énormément tandis que celui-là n'a pas de succès.		

9. Exprimez la cause autrement selon le modèle.

Exemple : *Il ne vient pas car il ne se sent pas en forme.*
→ *Il ne vient pas ; en effet, il ne se sent pas en forme.*

a. Le magasin ferme car il est 20 heures.
→ ....

b. Il faut partir car il se fait tard.
→ ....

c. Embauchez ce garçon car il a l'air travailleur.
→ ....

d. Vous retournez voir le film car il vous a plu.
→ ....

e. Tu n'as pas envoyé la facture car elle se trouve sur mon bureau.
→ ....

Il est rentré parce qu'il se sentait malade.

Comme il se sentait malade, il est rentré.

10. Exprimez la cause autrement selon le modèle.

Exemple : *Il ne travaille plus parce qu'il est fatigué.*
→ Comme il est fatigué, il ne travaille plus.

a. Vous n'achèterez pas ce programme parce qu'il est trop cher.
→ ....

b. Prends ces échantillons de nos produits parce que tu vas voyager à l'étranger.
→ ....

c. Nous invitons René à nous aider parce qu'il est expert dans ce domaine.
→ ....

d. La production va baisser parce que les moyens ont été réduits.
→ ....

e. Il vaut mieux baisser les prix parce que le pouvoir d'achat diminue.

Exemple : *Il ne travaille plus parce qu'il est malade.*
→ Il ne travaille plus à cause de sa maladie.

f. Les travaux se poursuivent avec difficulté parce qu'il fait chaud.
→ ....

g. Nous n'entendons rien parce qu'il y a du bruit dans la salle.
→ ....

h. L'entreprise meurt parce qu'elle manque de commandes.
→ ....

i. Elle ne veut pas prendre le bus parce qu'elle est en retard.
→ ....

j. Il va falloir en parler parce que la situation est grave.
→ ....

11. Complétez avec *parce que*, *comme*, *à cause de*.

Exemple : *Je vais prendre de l'aspirine .... ma migraine.*
→ Je vais prendre de l'aspirine ***à cause de*** *ma migraine.*

a. .... tu n'as plus mal à la tête, inutile de prendre de l'aspirine.
b. Je n'ai pas interviewé ce candidat .... il n'a pas envoyé de C.V.
c. On a licencié le chef de rayon .... des risques qu'il prenait.
d. .... les propositions n'ont pas été acceptées, nous allons voter de nouveau.
e. .... des grèves fréquentes, le patronat demande une réunion.
f. Il faut embaucher .... nous avons besoin de main-d'œuvre qualifiée.

12. Faites des phrases avec *puisque*.

Exemple : *Tu es pressé. (partir sans moi)*
→ Pars sans moi puisque tu es pressé.

Tu veux rester. (ne pas partir)
→ Ne pars pas puisque tu veux rester.

a. Tu vois bien qu'il va pleuvoir. (prendre un parapluie) → ....
b. Tu n'as pas faim. (ne pas manger) → ....
c. Tu te plains d'être fatigué. (se reposer) → ....
d. Il n'est pas tard. (rester) → ....
e. L'affaire est close. (ne pas protester) → ....
f. Tu es majeur. (se décider) → ....

13. Faites des phrases avec *grâce à*, *en raison de*, *à cause de*.

grâce à : raison positive

en raison de : raison neutre ou négative

à cause de : raison neutre ou négative

Exemple : *les tarifs favorables / ces produits se vendent bien*
→ Grâce aux tarifs favorables, ces produits se vendent bien.
la hausse des prix / nos produits se vendent mal
→ En raison de la hausse des prix, nos produits se vendent mal.

a. les ventes nombreuses à l'étranger / l'année a été bonne
→ ....
b. la croissance du chômage / le pessimisme augmente
→ ....
c. les achats excessifs / le budget sera déséquilibré
→ ....
d. le progrès technique / la fatigue physique est diminuée
→ ....
e. les graphiques / les chiffres d'affaires se voient mieux
→ ....
f. le manque de pluie / la récolte sera moins bonne
→ ....
g. l'isolement de la région / les touristes viennent rarement
→ ....

14. Faites des phrases avec *étant donné que*, *du fait que*, *vu que*.

étant donné le manque de temps
étant donné que le temps manque

du fait des délais
du fait qu'il y a des délais

vu la chaleur (familier)
vu qu'il fait chaud (familier)

Exemple : *Étant donné le mauvais état des routes, il vaut mieux prendre le train.*
→ Étant donné que les routes sont en mauvais état, il vaut mieux prendre le train.

a. Étant donné l'avenir incertain, la dépression du marché est compréhensible.
→ ....
b. Du fait du nombre des passagers, nous n'aurons pas de place assise.
→ ....
c. Vu la fréquence des trains, nous avons un horaire très souple.
→ ....
d. Étant donné la longueur des travaux, nous allons réviser notre budget.
→ ....
e. Vu le nombre d'accidents, on va installer un service de surveillance.
→ ....

15. Faites des phrases avec *d'autant plus que*.

Exemple : *Ils flattent les opinions des lecteurs parce qu'ils veulent augmenter le tirage du journal.*
→ *Ils flattent les opinions des lecteurs* ***d'autant plus qu'****ils veulent augmenter le tirage du journal.*

a. Il écrit des articles violents parce qu'il est très critiqué.
→ ....
b. On n'a pas envie de travailler parce qu'il fait une chaleur épouvantable.
→ ....
c. Je ne suis pas parti avec eux parce qu'ils étaient trop nombreux dans la voiture.
→ ....
d. Ne me parlez pas sur ce ton, vous le regretterez demain.
→ ....
e. Il ne me demande plus rien, je l'ai découragé de revenir.
→ ....

16. Complétez avec *ainsi, c'est pourquoi, alors, aussi, donc*.

Exemple : *Il était plus de trois heures du matin, ... nous étions fatigués.*
→ *Il était plus de trois heures du matin, alors nous étions fatigués.*

a. Ce que vous gagnez d'un côté, vous le perdez de l'autre ; l'affaire est .... sans intérêt.
b. On nous a augmenté le loyer, ... avons-nous changé d'appartement.
c. Je suis le responsable du service : c'est .... à moi que vous remettrez le rapport.
d. Il n'arrivait toujours pas, ... j'ai décidé de partir seule.
e. Il va y avoir des travaux sur la chaussée dans mon quartier, ... je prends le métro.

17. Complétez avec *tellement* ou *tellement de*.

Elle est tellement énervée que...
Elle a tellement de soucis que...
Elle court tellement que...

Exemple : *Ils sont ...... bavards que nous ne les invitons pas.*
→ *Ils sont* ***tellement*** *bavards que nous ne les invitons pas.*
Nous avons ...... bagages que nous prenons un taxi.
→ *Nous avons* ***tellement de*** *bagages que nous prenons un taxi.*

a. Vous êtes ...... indulgents qu'on ne peut pas vous choquer.
b. Il y a ...... neige que les piétons avancent difficilement.
c. Elle est ...... heureuse qu'on a envie de lui ressembler.
d. J'ai ...... travail que je ne pourrai pas sortir ce soir.
e. Ils sont ...... sympathiques qu'ils ont beaucoup d'amis.
f. Nous recevrons ...... demandes que nous ne saurons qu'en faire.

18. Écrivez au passé composé selon le modèle.

Exemple : *Elle fume tellement qu'elle se rend malade.*
→ *Elle a **tellement** fumé **qu'**elle s'en est rendue malade.*

a. Vous courez tellement que vous en perdez le souffle.
→ ....

b. Nous travaillons tellement que nous en oublions l'heure.
→ ....

c. Il s'amuse tellement avec ses amis qu'il compromet ses chances de réussite à l'examen.
→ ....

d. Ces enfants crient tellement qu'ils en perdent la voix.
→ ....

e. Elle parle tellement qu'elle fatigue son auditoire.
→ ....

19. La cause ou la conséquence ?

Complétez avec *parce que* pour exprimer la cause (CA) ou *de sorte que* pour exprimer la conséquence (CO).

Exemple : *Il est tombé malade **parce qu'**il a beaucoup travaillé sur ce projet. (cause)*
*Il a beaucoup travaillé sur ce projet, **de sorte qu'**il en est tombé malade. (conséquence)*

		CA	CO
a.	Je n'ai plus le même chef de secteur .... il y a eu un changement de personnel.	✗	
b.	Il s'enferme dans son travail .... il ne voit plus sa famille.		✗
c.	Il se plaint beaucoup de la vie .... on commence à l'éviter.		✗
d.	Ses collègues sont mécontents .... elle est souvent absente de son bureau.	✗	
e.	On fait toujours la coupure à midi .... on sort toujours plus tard.		✗
f.	Il y a une bonne ambiance au bureau .... la direction est sensible aux besoins du personnel.	✗	

20. L'opposition ou la conséquence ?

Complétez avec *bien que* pour l'opposition (OP) ou *si bien que* pour la conséquence (CO)

		OP	CO
a.	Cette année les primes des employés n'ont pas été augmentées .... un sentiment de mécontentement s'est développé.		✗
b.	Il continue à investir .... il craigne une nouvelle récession.	✗	
c.	J'envisage une année économique positive .... nous ayons vu un ralentissement dans la production.	✗	
d.	Il a beaucoup étudié cette matière .... aujourd'hui il est considéré comme un expert mondial dans ce domaine.		✗
e.	Elle a été nommée secrétaire de direction .... elle ait travaillé un an seulement dans cette entreprise.	✗	
f.	Il se plaignait continuellement du patron .... on a fini par le licencier.		✗

MISE EN PLACE

1. Interview à la radio.

Une présentatrice s'entretient avec M. Lacaze sur la situation économique.

Complétez l'interview avec les expressions suivantes :

Comme ; c'est pourquoi ; parce que ; en raison de ; grâce à ; de sorte que ; tellement de ; donc ; si bien que ; tellement ... que.

« Chers auditeurs, chères auditrices

La crise économique continue à battre son plein. .... j'ai invité aujourd'hui au studio M. Didier Lacaze, P.-D.G. de la société Merle. .... il est vice-président du Centre national du patronat, il est bien placé pour répondre à nos questions sur la vie économique du pays.

Bienvenue, monsieur Lacaze. .... votre formation et de votre expérience, et .... votre esprit d'entrepreneur, vous dirigez actuellement une des plus grandes entreprises d'Europe. Vous avez exprimé un certain optimisme au sujet de notre avenir économique. Êtes-vous optimiste ....des bénéfices affichés par votre entreprise ou .... il y a d'autres indices positifs dans le secteur industriel ?

Merci mademoiselle Tellier de m'avoir invité à exprimer un point de vue personnel. Il y a .... indices positifs que l'avenir me semble très prometteur. Après plusieurs mois de hausse ininterrompue, notre excédent commercial augmente et notre déficit est .... en train de se stabiliser.

Le taux des exportations à l'étranger s'accélère .... nos usines doivent améliorer leur capacité de production. L'inflation est freinée, ... les légères augmentations du prix des marchandises annoncées début juillet ont été très bien acceptées. Dans l'ensemble, la C.E. se construit peu à peu .... une certaine solidarité européenne en résulte. »

Posez vous-même des questions à M. Lacaze sur l'avenir de son entreprise.

Pour quelles raisons .... ?

Pourquoi a-t-on .... ?

Qu'est-ce qui vous fait penser que .... ?

Comment expliquez-vous que .... ?

Grâce à quelles réformes .... ?

Êtes-vous tellement optimiste que .... ?

2. Slogans publicitaires.

Écrivez des slogans pour ces produits.

Exemple : *un produit à nettoyer / pratique / faire des miracles / avec*
→ *C'est tellement pratique qu'on fait des miracles avec.*

a. une lessive / efficace / éliminer toutes les taches

b. un pantalon / bon marché / en acheter deux

c. un magnétophone / petit / mettre dans sa poche

d. une voiture / sûr / compter toujours dessus

e. le TGV / rapide / gagner du temps

f. le chocolat / bon / croquer avec délice

g. le pain / croustillant / le manger tout de suite

h. le parfum / raffiné / attirer les plus beaux compliments

3. Une découverte troublante.

En faisant vos comptes à la fin de l'année, vous découvrez que vous avez trop dépensé. Faites la liste de vos dépenses les plus importantes. Pour chaque dépense, dites pourquoi vous avez dépensé plus d'argent que prévu.

Utilisez : *C'est pourquoi ; comme ; puisque ; parce que ; à cause de ; grâce à ; en raison de.*

....

....

....

4. Emplois du temps.

Voici l'emploi du temps de M. Aubagne, directeur du personnel, et de Mme Brunot, secrétaire de direction, qui travaillent à la société Merle.

Lucien Aubagne		**Thérèse Brunot**
	8 h 30	Arrivée au bureau ; se faire un café ; trier le courrier, préparer l'agenda de M. Aubagne.
Arrivée au bureau	9 h	
Lire le courrier.	9 h 30	
Dicter des lettres.	10 h	Prendre la dictée des lettres.
Réunion avec le chef des ventes	11 h	Taper, faire signer et envoyer le courrier.
	12 h	Confirmer l'ordre du jour de la réunion de vendredi.
Déjeuner, Café de la Paix	13 h	Déjeuner aux Galeries Lafayette
	14 h	Classer des dossiers aux archives.
Rapports à rédiger sur le personnel du service des ventes.	14 h 30	Mettre de l'ordre au bureau.
	15 h	
Rendez-vous avec le délégué syndical	16 h	Faire un café pour M. Aubagne et le délégué. Photocopier des rapports.
Coups de téléphone à donner pour la réunion de vendredi.	16 h 30	
Dicter des lettres.	17 h	Prendre la dictée des lettres.
Départ	17 h 30	
	18 h	Départ

Vous interrogez Mme Brunot sur ses activités au bureau. Utilisez dans vos questions les expressions suivantes :

En même temps que ; le temps de ; pendant ; pendant que ; après ; après que ; avant ; avant que ; jusqu'à ; jusqu'à ce que ; en attendant ; alors que.

Exemple : *Est-ce que vous êtes partie déjeuner en même temps que M. Aubagne ?*

Qu'est-ce que vous faisiez alors que M. Aubagne discutait avec le délégué syndical.

....

....

....

6

Le but
La concession
La condition

FAÇONS DE DIRE

- *Approuver, désapprouver*
- *Permettre*
- *Langue administrative*

GRAMMAIRE

- *Des expressions de but*
- *Le but ou la conséquence ?*
- *Des expressions de concession*
- *Des expressions de condition*

MISE EN PLACE

- *Vos objectifs*
- *Une salle de sport à domicile*
- *Je voudrais être...*
- *Les problèmes des grandes métropoles*

1. Approuver, désapprouver.

Classez les phrases suivantes en allant de l'approbation à la totale désapprobation.

a. *1. Ce n'est pas très intéressant. 2. C'est assez intéressant. 3. C'est superbe. 4. C'est sans intérêt. 5. C'est intéressant.*

b. *1. C'est pas mal. 2. C'est très bien. 3. C'est plutôt moche. 4. C'est extraordinaire. 5. C'est affreux. 6. C'est pas mal du tout.*

Le gouvernement a décidé d'augmenter le budget pour la recherche spatiale plutôt que de l'utiliser pour réduire la famine dans le monde. Dites si les phrases suivantes indiquent l'approbation (**A**) ou la désapprobation (**D**).

c. ... C'est une honte.
d. ... Ils sont fous, non ?
e. ... Ils n'ont pas eu tort.
f. ... Comment ont-ils pu prendre une décision pareille ?
g. ... Il est insupportable de laisser les gens mourir de faim.
h. ... Ça alors, ils n'ont rien compris !
i. ... C'est bien mon avis.
j. ... Ce qu'ils ont fait là est scandaleux.
k. ... Il était grand temps qu'ils prennent cette décision.
l. ... Je me demande comment ils ont osé faire ça.
m. ... Il ne fallait pas oublier les victimes de la faim.
n. ... Ils ont avancé des arguments incontestables pour se justifier.
o. ... Je ne les approuve pas d'avoir pris cette décision.
p. ... Enfin une décision courageuse !

2. Permettre

a. Classez les phrases suivantes dans l'une des deux catégories indiquées.

1. On peut payer ses impôts en retard ? / 2. Ne serait-il pas possible de payer plus tard ? / 3. Il n'en est pas question. / 4. Je voudrais obtenir un délai de paiement. / 5. Puis-je me permettre de demander un délai de paiement ? / 6. Je suis désolé, mais ce n'est pas possible. / 7. Ça ne vous dérange pas si je paie plus tard ? / 8. Voyez-vous un inconvénient à ce que je paie plus tard ? / 9. Et puis quoi encore ! / 10. Il est interdit de payer en retard. / 11. Vous permettez que je paie en retard ? / 12. La loi n'autorise pas de retard dans le paiement des impôts. / 13. Je ne peux pas vous le permettre. / 14. Il m'est impossible de vous accorder cette faveur. / 15. Je pourrais bénéficier d'un délai de paiement ?

demander la permission ....

refuser la permission ou interdire ....

b. À l'intérieur de chaque catégorie, classez les phrases selon leur degré de formalité.

peu formel ....

formel ....

très formel ....

3. Langue administrative.

La langue administrative est caractérisée par un vocabulaire précis. Dans les phrases suivantes les expressions en italique font partie de la langue administrative. Remplacez-les par un mot ou une expression de la langue standard figurant dans la liste ci-dessous.

S'adresser ; assurer un service de transport dans ; conduire trop vite ; faire une demande ; donner ; faire ; écrire ; inacceptable ; un livre ; le mari et la femme ; M. et Mme ; mort(e) ; payer ; signer ; un village.

a. Il a *adressé une requête* au président du tribunal.
→ ....

b. Il faut *verser* la somme de mille francs.
→ ....

c. Ils ont *inscrit* leur nom sur la liste des participants.
→ ....

d. Vous êtes obligés d'*exécuter* ce travail avant la fin du mois.
→ ....

e. Le fonctionnaire lui *délivre* son nouveau passeport.
→ ....

f. *Les époux* doivent *parapher* cette déclaration officielle.
→ ....

g. Le jeune conducteur avait *commis un excès de vitesse.*
→ ....

h. Un autocar *dessert* cette *localité.*
→ ....

i. L'inspecteur a vérifié le *registre* de comptabilité du commerçant.
→ ....

j. La conclusion du rapport que le comité a *rédigé* est *irrecevable.*
→ ....

k. *Les époux* Ravaud sont *décédés* en 1943.
→ ....

l. L'employé *a recours* au syndicat.
→ ....

GRAMMAIRE

pour + infinitif

pour que + subjonctif

1. Faites des phrases pour exprimer le but.

Exemple : *Si je l'ai dit, c'est pour faire réagir mon interlocuteur.*
→ *Si je l'ai dit, c'est pour que mon interlocuteur réagisse.*

a. Si j'appelle, c'est pour faire descendre les enfants.
→ ....

b. Si je chante, c'est pour faire rire le bébé.
→ ....

c. Si elle téléphone, c'est pour faire venir ton frère.
→ ....

d. S'il crie, c'est pour faire partir les animaux.
→ ....

e. Si nous acceptons votre demande, c'est pour faire avancer notre discussion.
→ ....

afin de + infinitif

afin que + subjonctif

2. Faites des phrases selon le modèle.

Exemple : *Elle porte des lunettes. Elle se cache.*
→ *Elle porte des lunettes afin de se cacher.*

a. Nous économisons. Nous prenons des vacances. → ....
b. On prend le soleil. On bronze. → ....
c. Elle se fait belle. Elle plaît au public. → ....
d. Il s'exerce. Il est en pleine forme. → ....

Exemple : *Elle porte des lunettes. Personne ne la reconnaîtra.*
→ *Elle porte des lunettes afin que personne ne la reconnaisse.*

e. Mets cette affiche ici. Tout le monde pourra la voir.
→ ....

f. Je l'ai invité. Il sortira avec moi.
→ ....

g. Nous avertirons Élise. Elle ne viendra pas demain.
→ ....

3. Faites des phrases selon le modèle.

Exemple : *Approchez-vous. Je veux vous voir.*
→ *Approchez-vous, que je vous voie.*

a. Parlez plus fort. Je veux vous entendre. → ....
b. Arrêtez-vous. Je veux dire un mot. → ....
c. Réveille-toi. Je veux faire le lit. → ....

d. Préviens-moi. Je ne veux pas m'inquiéter. → ....
e. Sauve-toi. Je ne veux plus te voir. → ....

4. Faites des phrases avec *de peur que*.

Exemple : *Il parlait tout bas pour qu'on ne l'entende pas.*
→ Il parlait tout bas de peur qu'on ne l'entende.

a. Ils marchaient doucement pour qu'on ne les surprenne pas.
→ ....

b. Je brouillais la piste pour qu'il ne nous suive pas.
→ ....

c. Elle nous a téléphoné pour que nous n'arrivions pas trop tôt.
→ ....

d. Il s'est caché pour que tu ne le voies pas.
→ ....

5. Le but ou la conséquence ? Faites des phrases.

pour que + subjonctif
tellement que + indicatif

Indiquez s'il s'agit du but (BU) ou de la conséquence (CO).

Exemple : *Je me suis entraînée* ***pour que*** *les résultats soient excellents. (But)*
→ Je me suis ***tellement*** *entraînée* ***que*** *les résultats ont été excellents. (Conséquence)*

		BU	CO
a.	On a inventé la carte à mémoire .... nous puissions téléphoner d'une cabine publique.		
b.	Ils ont .... cherché .... ils ont fini par trouver le code.		
c.	Nous avons installé le Minitel .... on obtienne les renseignements de l'annuaire avec facilité.		
d.	Il a .... plu .... toute la ville est inondée d'eau.		
e.	Tu as créé ce logiciel .... la saisie du texte aille plus vite.		
f.	Il s'est .... surmené .... il a dû prendre un congé de maladie.		
g.	Ces pays se sont entendus .... la paix s'établisse dans le monde.		
h.	Il a fait .... chaud .... les installations spatiales n'ont pas fonctionné.		

de sorte que + subjonctif
de sorte que + indicatif

6. Le but ou la conséquence ? Faites des phrases.

Faites des phrases selon les indications.

Exemple : *Le conférencier parlait dans un micro, de sorte que chacun l'entende clairement. (But)*

Le conférencier parlait dans un micro, de sorte que chacun l'entendait clairement. (Conséquence)

		BU	CO
a.	La ville a décidé de créer un musée des Sciences et de la Technique de sorte que le public (saisir) .... où en est la recherche.	✗	
b.	La réparation de la centrale électrique n'a pu être effectuée de sorte que les employés et les ingénieurs (être) .... au chômage technique.		✗
c.	Les entreprises communiquent beaucoup par fax (télécopie), de sorte que l'on (perdre) .... moins de temps.		✗
d.	Les laboratoires demandent à être subventionnés davantage de sorte que la recherche sur les maladies graves (pouvoir) .... progresser.	✗	
e.	Nous avons organisé une formation linguistique pour nos cadres de sorte que nous (avoir) .... des échanges plus fructueux avec nos partenaires.		✗

7. Complétez les phrases.

Utilisez un des mots de liaison de la liste suivante.

Pourtant ; mais ... quand même ; néanmoins ; en revanche ; au contraire.

Exemple : *Il pensait avoir tout raconté, ... il avait oublié un événement important.*

→ Il pensait avoir tout raconté, ***pourtant*** *il avait oublié un événement important.*

a. Rien n'avait changé, ... il reprenait goût à la vie.

b. C'est cher, ... je vais l'acheter ....

c. On comptait sur son accord. ...., il a refusé.

d. La publicité a été faible : ...., le produit a très bien marché.

e. La machine a été livrée dans les temps. ...., il y a des ajustements à faire.

8. Faites des phrases selon le modèle.

à moins de + infinitif
à moins que + subjonctif

Exemple : *Le débat est terminé. Quelqu'un veut intervenir ?*
→ *Le débat est terminé,* ***à moins que*** *quelqu'un veuille intervenir.*

a. Le dernier mot est prononcé. Quelqu'un a une question à poser ?
→ ....

b. Je vais au cours. Tu as l'intention de le sécher ?
→ ....

c. Le président lève la séance. On choisit de la prolonger ?
→ ....

d. Cette tentative échouera. Vous nous aidez ?
→ ....

e. Le restaurant est complet. Vous attendez dix minutes ?
→ ....

Exemple : *À moins de prendre des mesures radicales, la recherche scientifique ne progressera pas. (on)*
→ ***À moins qu'****on prenne des mesures radicales, la recherche scientifique ne progressera pas.*

f. L'université fermera ses portes, à moins d'obtenir des subventions. (la région)
→ ....

g. À moins d'avoir les garanties nécessaires, il vaudrait mieux arrêter les expériences. (vous)
→ ....

h. À moins de perdre de vue nos objectifs, les résultats ne tarderont pas. (nous)
→ ....

i. Il faudra éviter de te présenter à ce concours, à moins de bien connaître le programme. (tu)
→ ....

9. Faites des phrases selon le modèle.

sans + infinitif
sans que + subjonctif

Exemple : *L'homme est parti. (se faire remarquer)*
→ *L'homme est parti* ***sans*** *se faire remarquer. (on)*
→ *L'homme est parti* ***sans qu'****on le remarque.*

a. Le conférencier a parlé pendant une heure. (se faire comprendre)
→ ....
→ ....

b. Elle a pris cette décision. (se faire conseiller)
→ ....
→ ....

c. Ils ont quitté la maison. (se faire voir)
→ ....
→ ....

Exemple : *Je vous explique la stratégie. Vous ne m'interrompez pas.*
→ *Je vous explique la stratégie* ***sans que*** *vous m'interrompiez.*

d. Nous continuons notre entreprise scientifique. Ils ne le savent pas.
→ ....

e. Elle note tous les changements. Tu ne la vois pas.
→ ....

f. On embauche des experts. Le budget ne le permet pas.
→ ....

malgré + nom
en dépit de + nom
pourtant
bien que + subjonctif
tout + gérondif
avoir beau + infinitif

10. Donnez une expression équivalente selon le modèle.

Exemple : *Bien qu'il pleuve*
→ ***Malgré*** *la pluie*

a. Bien qu'il fasse chaud → ....
b. Bien qu'il fasse froid → ....
c. Bien qu'il fasse nuit → ....
d. Bien qu'il fasse du soleil → ....

Exemple : *Bien que je sois fatigué*
→ ***En dépit de*** *ma fatigue*

e. Bien que je sois malade → ....
f. Bien que tu sois jeune → ....
g. Bien qu'elle soit laide → ....
h. Bien que nous soyons âgés → ....
i. Bien que vous soyez timides → ....
j. Bien qu'ils soient absents → ....

11. Faites des phrases selon le modèle.

Exemple : *Nous sommes au printemps, pourtant il fait un froid terrible.*
→ ***Bien que*** *nous soyons au printemps, il fait un froid terrible.*

a. On connaît les risques, pourtant on continue à utiliser ce traitement.
→ ....

b. Le coût est exorbitant, pourtant on rêve toujours d'envoyer des hommes sur Mars.
→ ....

c. Tout en connaissant vos qualités, nous ne pouvons pas vous embaucher.
→ ....

d. Tout en défendant votre réputation, il n'accepte pas de négocier avec vous.
→ ....

e. Nous avons beau l'interroger, il ne révèle pas l'identité de son complice.
→ ....

f. Vous avez beau produire des références, on conteste le sérieux de cette entreprise.
→ ....

12. Faites des phrases avec *avoir beau.*

Exemple : *Tu agis habilement, mais tu n'arriveras pas à les convaincre.*
→ *Tu as beau agir habilement, tu n'arriveras pas à les convaincre.*

a. Nous agissons discrètement, mais ils nous ont remarqués.
→ ....
b. Ils se plaignaient amèrement, mais rien ne changeait.
→ ....
c. Elle s'excuse, mais je ne lui pardonnerai pas.
→ ....
d. Pierre a parlé fort, mais personne ne l'a entendu.
→ ....
e. Tu conduis vite, mais tu ne les rattraperas pas.
→ ....

13. Faites des phrases avec si ... *que.*

si + adjectif + que + subjonctif

Exemple : *L'employé est compétent mais nous ne pouvons pas le garder.*
→ ***Si** compétent **que** soit cet employé, nous ne pouvons pas le garder.*

a. Mes collègues sont agréables, mais c'est tout de même chacun pour soi.
→ ....
b. La proposition est valable, mais le gouvernement ne la soutient pas.
→ ....
c. L'aide humanitaire est importante, mais la misère s'aggrave.
→ ....
d. Les études spatiales sont très avancées, mais le lancement de fusées a connu des échecs.
→ ....
e. Ce pays est surpeuplé, mais le contrôle des naissances y est inexistant.
→ ....

14. Faites des phrases avec *quel que soit, quelle que soit...*

quel que soit le besoin
quels que soient les besoins

quelle que soit la nécessité
quelles que soient les nécessités

Exemple : .... *les demandes, il faut les satisfaire.*
→ ***Quelles que soient** les demandes, il faut les satisfaire.*

En ce qui concerne les pronostics pour l'an 3000,
.... l'état de la Terre,
.... la vie sur Jupiter,
.... les besoins des astronautes,
.... les conditions de la survie,
.... le système de transport interplanétaire,
.... les modalités de l'existence,
nous sommes incapables de les évaluer.

quoique + subjonctif
quoi que + subjonctif

Quoique nous fassions des efforts, vous ne semblez pas vous en apercevoir.

Quoi que nous fassions, vous n'êtes jamais content.

15. Complétez avec *quoique* ou *quoi que*.

Exemple : *........... vous disiez beaucoup de mal de ce programme, les recherches continuent.*
*→ **Quoique** vous disiez beaucoup de mal de ce programme, les recherches continuent.*
.... vous disiez, les recherches continueront.
*→ **Quoi que** vous disiez, les recherches continueront.*

a. .... la science soit une discipline complexe, les gens s'y intéressent.
b. .... ils disent, les scientifiques m'inquiètent un peu.
c. .... nous fassions, le monde semble courir à sa perte.
d. .... les progrès soient incontestables, le monde est-il plus heureux qu'avant ?
e. .... nous pensions, les gouvernants agissent à leur guise.
f. .... on soit capable d'envoyer des hommes sur la lune, on connaît encore mal notre propre planète.

Je suis ravi de sortir même si tu ne viens pas. (Je sors quand même.)

Je sors sauf si le temps est mauvais. (Je ne sors peut-être pas.)

16. Complétez avec *même si* ou *sauf si* selon le modèle.

Exemple : *Il vient .... tu ne le veux pas. (Il vient.)*
*→ Il vient **même si** tu ne le veux pas.*
Il vient .... tu ne le veux pas. (Il ne vient peut-être pas.)
*→ Il vient **sauf si** tu ne le veux pas.*

a. Je ne peux pas le croire .... la nouvelle est vraie. (Je ne le crois pas.)
b. On vous enverra la lettre, ... elle n'est pas encore signée. (la lettre sera peut-être envoyée.)
c. Il refuserait la proposition .... tu insistais pour qu'il accepte. (Il refusera la proposition.)
d. Nous vous accompagnerons .... il y a un empêchement. (Nous ne vous accompagnerons peut-être pas.)
e. Je rentrerai vers 7 heures, ... mon patron me propose des heures supplémentaires. (Je ne rentre peut-être pas à 7 heures.)

comme si + imparfait

comme si + plus-que-parfait

17. Faites des phrases avec *comme si*.

Exemple : *C'est un égoïste : il agit toujours .... (être seul au monde).*
*→ C'est un égoïste : il agit toujours **comme s'**il était seul au monde.*
Elle m'a bousculée .... (ne pas me voir).
*→ Elle m'a bousculée **comme si** elle ne m'avait pas vue.*

a. Elle parle à son chien .... (être un être humain).
b. Il fait pitié : il se comporte .... (ne rien posséder).
c. Ils étaient affamés et ils se sont jetés sur leur assiette .... (ne rien manger cette semaine).
d. Ils ont continué à parler .... (ne pas nous entendre).
e. Ils s'amusent .... (ne pas avoir de soucis).

18. Faites des phrases selon le modèle.

à condition de + infinitif

à condition que + subjonctif

pourvu que + subjonctif

Exemple : *Les patrons seront plus efficaces à condition de répartir les responsabilités. (on)*

→ *Les patrons seront plus efficaces* ***à condition qu'****on répartisse les responsabilités.*

→ *Les patrons seront plus efficaces* ***pourvu qu'****on répartisse les responsabilités.*

a. Je me joindrai à leur équipe à condition de se mettre d'accord sur les horaires. (nous) (à condition que)

→ ....

b. Nous acceptons la reprise du travail à condition d'obtenir des avantages immédiats. (tout le monde) (pourvu que)

→ ....

c. Le candidat a des chances de réussir à condition de tenir ses promesses. (le gouvernement) (à condition que)

→ ....

d. Ils parviendront à un accord à condition de déterminer la contribution de chaque participant. (vous) (pourvu que)

→ ....

e. Les créateurs remplaceront les anciennes méthodes à condition de constater l'efficacité des nouvelles méthodes. (on) (pourvu que)

→ ....

19. Faites des phrases avec *au cas où*.

au cas où + conditionnel

Exemple : *En cas d'absence du locataire, la clé se trouve chez la voisine. (être absent)*

→ ***Au cas où*** *le locataire serait absent, la clé se trouve chez la voisine.*

a. En cas de panne de l'ascenseur, vous avez un téléphone. (être en panne)

→ ....

b. En cas de pluie, nous ferons le pique-nique dans le hall de la gare. (pleuvoir)

→ ....

c. En cas d'incendie, on doit appeler les pompiers. (il y a)

→ ....

Exemple : *Si vous avez besoin de moi, je serai au bureau.*

→ *Au cas où vous auriez besoin de moi, je serai au bureau.*

d. Si elle a un empêchement, je vous le confirmerai.

→ ....

e. Si vous perdez votre passeport, prévenez le commissariat.

→ ....

f. S'ils changent d'itinéraire, faites-le moi savoir.

→ ....

1. Vos objectifs.

Vous apprenez le français. Quels sont vos objectifs ? Indiquez quatre buts en utilisant les expressions *pour, pour que, afin de, afin que*.

Exemple : *J'apprends le français pour parler aux francophones.*

....

....

....

....

2. Une salle de sport à domicile.

Lisez le texte suivant.

Le Gym-Dom, c'est toute une salle de sport concentrée dans le même appareil à installer à la maison (1). Vous pouvez entretenir votre corps et maintenir votre ligne à condition d'utiliser cet appareil régulièrement (2). Les conseils du prof de gym sont remplacés par un tableau d'exercices de musculation (3). Malgré l'enthousiasme de l'utilisateur il ne faut pas trop exagérer l'usage du Gym-Dom dans les premiers temps (4). Cet appareil à domicile est capable de satisfaire à tous les besoins d'exercice (5).

Complétez les phrases suivantes.

1. Quand on a un Gym-Dom, c'est comme si ....
2. On peut entretenir son corps pourvu que ....
3. On peut faire des exercices de musculation même si ....
4. Si .... que soit l'utilisateur ....
5. .... que soient les besoins d'exercice ....

3. Je voudrais être...

Vous n'êtes pas content(e) de la vie humaine. Vous voudriez vivre sous une autre forme.

a. En utilisant les expressions *pour, pour que, afin de, afin que* et *de sorte que*, dites dans quel but vous accepteriez d'être (1) un chat, (2) un chien, (3) un oiseau, (4) une coccinelle, (5) un poisson, (6) un arbre, (7) le soleil, (8) la lune.

Exemple : *Je voudrais être un chat pour que les gens me caressent.*

b. En utilisant des expressions de concession ou de restriction (voir exercices 7 - 14), dites ce qui diminuerait votre désir d'adopter cette autre forme de vie.

Exemple : *Bien que les requins risquent de me dévorer, je voudrais être un poisson.*

c. En utilisant les expressions *même si, sauf si, à condition de/que, pourvu que*, dites les conditions qui influenceraient votre choix d'une autre forme de vie.

Exemple : *Je voudrais être un arbre à condition de ne pas être abattu par un bûcheron.*

4. Les problèmes des grandes métropoles.

Les problèmes

La population urbaine des pays du Nord aura doublé entre 1950 et l'an 2000 alors que celle des pays en voie de développement aura été multipliée par six. Voici une liste de problèmes posés par cette croissance démographique urbaine :

Logement, entretien, électricité, ordures, transports, circulation, eau, pollution, chômage, santé, insécurité, pauvreté.

Les idées pour les résoudre

Proposez dix idées qui pourraient aider à éviter la catastrophe qui s'annonce dans les grandes métropoles et leurs banlieues.

(1) Dans quel but proposez-vous chaque idée ?

(2) Avec quelles restrictions ?

(3) Dans quelles conditions vos propositions pourraient-elles réussir ?

Exemple 1 : *Afin de limiter le nombre de voitures dans les villes, il faut améliorer les transports publics.*

Exemple 2 : *Sans limiter le nombre de voitures, les autorités n'arrêteront pas la paralysie progressive des artères principales de la ville.*

Si rapides que soient les transports publics, les automobilistes trouveront toujours des raisons de ne pas les utiliser.

Exemple 3 : *Au cas où on moderniserait les transports publics, on diminuerait le nombre de voitures dans les centres urbains.*

....

....

....

....

....

....

7

La concordance des temps

FAÇONS DE DIRE

- *Souhaits, regrets, déceptions*
- *Se plaindre*
- *Protester, faire des reproches*

GRAMMAIRE

- *Le temps des verbes avec "si"*
- *Le temps des verbes avec "quand"*
- *Le subjonctif passé*
- *La simultanéité, la postériorité et l'antériorité avec le subjonctif*

MISE EN PLACE

- *Ah ! si...*
- *Les étapes du concert*
- *Avez-vous le tempérament artiste ?*
- *Au théâtre*

FAÇONS DE DIRE

1. Souhaits, regrets, déceptions.

Dites si les phrases suivantes expriment un souhait (**S**), un regret (**R**) ou une déception (**D**).

a. ...... Je voudrais pouvoir le rencontrer.
b. ...... Pourvu que vous gagniez !
c. ...... Quel dommage que tu ne sois pas venu.
d. ...... Quelle déconvenue amère !
e. ...... Nous sommes désolés de vous avoir dérangés.
f. ...... Si seulement tu pouvais venir avec nous.
g. ...... J'avais cru pouvoir compter sur elle.
h. ...... On aimerait tant avoir un enfant.
i. ...... Je regrette de ne pas être allé à la fête.
j. ...... Ah ! si seulement je t'avais rencontré avant !
k. ...... Je vous croyais capable de plus de générosité !
l. ...... Tu voudrais qu'il n'y ait plus de disputes.
m. ...... J'aurais dû lui dire la vérité.
n. ...... Je n'aurais pas cru cela de lui.
o. ...... Vivement que les vacances arrivent !

2. Complétez les phrases suivantes.

Vous exprimez un souhait.
a. .... j'avais de l'argent, comme je serais heureux !
b. .... ils gagnent le match, sinon ils seront découragés.
c. .... seulement il pouvait se taire, on entendrait le film !
d. .... nous fassions le voyage au Québec !

Voux exprimez un regret.
e. .... j'avais pris son adresse, je serais allé la voir.
f. Quel .... que le voyage soit si court !
g. Nous .... le prévenir plus tôt.
h. Ne ....-tu pas d'avoir perdu tant de temps ?

Vous exprimez une déception.
i. J'ai été très .... par ce résultat.
j. Cela me .... de voir un tel désordre.
k. J'étais si impatient de le voir, quelle .... !

3. Se plaindre.

Qu'est-ce que vous pourriez dire dans les situations suivantes pour exprimer la souffrance ou le mécontentement ?

J'en ai assez de perdre mon temps ! / Je n'ai pas une minute à moi. / Il faut toujours repasser derrière lui ! / Je n'ai encore pas fermé l'œil de la nuit. / Quel vacarme, c'est insupportable. / J'ai une de ces migraines !

a. Vous devez prendre une aspirine. → ....

b. Vous n'avez pas assez de temps libre. → ....

c. Un marteau-piqueur se met en marche près de vous. → ....

d. Vous attendez comme toujours votre petit ami. → ....

e. Vous prenez des somnifères. → ....

f. Votre fils met du désordre partout dans la maison. → ....

4. Protester, faire des reproches.

Que dites-vous dans les situations suivantes ? Choisissez la réponse appropriée.

1. **Vous protestez fort contre la très mauvaise qualité d'une exposition :**
   a. Je ne suis pas très satisfait.
   b. Ce qu'elle est embêtante, cette exposition.
   c. Non, mais dites donc ! Pour qui nous prennent-ils ?

2. **Votre patron vous oblige à faire des heures supplémentaires non payées. Vous protestez vigoureusement :**
   a. C'est inadmissible !
   b. Cela m'ennuie beaucoup de rester si tard.
   c. Vous devriez vous mettre à ma place.

3. **Un ami a encore emprunté un de vos disques préférés sans vous le demander. Vous le lui reprochez :**
   a. J'aurais dû te le prêter.
   b. Tu exagères ! Quel toupet !
   c. J'aimerais te le donner.

4. **En ce moment, tous les petits travaux de la maison vous reviennent. Vous faites des reproches à la personne qui partage la maison avec vous :**
   a. Tu aurais pu me demander la permission.
   b. C'est toujours moi qui pense à tout.
   c. Non mais, tu exagères ! Tu ne fais jamais rien.

5. **Vous avez acheté un chemisier qui a un défaut. Au magasin, on refuse de vous le changer. Vous vous plaignez :**
   a. Si tous les commerçants faisaient comme vous !
   b. Vous n'avez qu'à le garder.
   c. Cela m'ennuie de vous rapporter ce chemisier.

6. **À table, un de vos invités propose l'utilisation de l'énergie nucléaire comme seule solution aux besoins d'énergie. Vous protestez contre cette possibilité. Vous dites :**

   a. Vous ne pensez qu'à vous !

   b. Comment osez-vous défendre des idées pareilles ?

   c. Mais vous n'y pensez pas ! Il y a d'autres moyens !

GRAMMAIRE

Si tu acceptes ce projet
on gagnera plus d'argent.

Si tu acceptais ce projet
on gagnerait plus d'argent.

Si tu avais accepté ce projet
on aurait gagné plus d'argent.

1. Faites des phrases avec si + le présent + le futur.

Exemple : *Si on (apporter) la guitare, il nous (jouer) une mélodie espagnole.*
→ Si on apporte la guitare, il nous jouera une mélodie espagnole.

a. S'il (chanter) toujours aussi bien, il (avoir) un succès fou.
→ ....

b. S'il (faire) beau, nous (aller) au concert en plein air.
→ ....

c. Si on (recevoir) le programme du festival, on vous le (envoyer).
→ ....

d. Si elle (ne pas s'entraîner) elle n'(atteindre) pas son objectif.
→ ....

e. Si vous (ne pas être) là, vous (manquer) le récital.
→ ....

2. Faites des phrases avec si + l'imparfait + le conditionnel.

Exemple : *Si je (avoir du talent), je (prendre) des leçons de musique.*
→ Si j'avais du talent, je prendrais des leçons de musique.

a. Si je (savoir) pourquoi, je vous le (dire).
→ ....

b. Si vous (connaître) ce compositeur, vous l'(aimer).
→ ....

c. Si elle (être) moins étourdie, elle (comprendre).
→ ....

d. S'il (apprendre) la vérité, il (être) furieux.
→ ....

e. Si tu (vouloir), tu (pouvoir) le faire.
→ ....

3. Faites des phrases avec *si* + le plus-que-parfait + le conditionnel passé.

Exemple : *Si je (vouloir), je (faire) une belle carrière musicale.*
→ Si j'avais voulu, j'aurais fait une belle carrière musicale.

a. Si vous (acheter) des billets plus tôt, vous (trouver) de bonnes places.
→ ....

b. Si je (boire) du café hier soir, je ne (dormir) pas.
→ ....

c. Si tu (venir) l'entendre chanter, tu (être) enchantée.
→ ....

d. Si on (savoir), on ne (partir) pas.
→ ....

e. Si nous (arriver) à l'heure, nous (entrer) facilement.
→ ....

f. Si je (avoir) le temps ce matin, je (rester) plus longtemps avec vous.
→ ....

j'ai fait
j'avais fait
j'aurais fait
je suis venu(e)
j'étais venu(e)
je serais venu(e)

4. Faites des phrases juxtaposées pour exprimer une hypothèse.

Exemple : *Si vous veniez, vous pourriez participer.*
→ Vous viendriez, vous pourriez participer.

Si vous étiez venu, vous auriez pu participer.
→ Vous seriez venu, vous auriez pu participer.

a. Si vous étiez majeur, vous pourriez voter.
→ ....

b. S'il était l'homme le plus charmant, je ne l'épouserais pas.
→ ....

c. S'ils m'avaient averti, j'aurais évité cette difficulté.
→ ....

d. Si je ne lui avais pas apporté la preuve, il ne m'aurait pas cru.
→ ....

e. Si tu n'étais pas arrivé en retard, tu aurais vu le début du film.

5. Faites des phrases au futur avec *quand*.

Exemple : *Quand je (être) grande, je (faire) des études.*
→ Quand je serai grande, je ferai des études.

a. Quand vous ne (être) plus là, vous nous (manquer).
→ ....

b. Quand tu le (voir), tu lui (donner) cette carte.
→ ....

c. Quand il (pleuvoir), je ne (mettre) pas mes chaussures neuves.
→ ....

d. Quand nous (aller) en vacances, nous n'(emporter) pas nos disques avec nous.
→ ....

Quand tu viendras, tu ne me trouveras pas.
Quand tu viendras, j'aurai changé d'adresse. je serai parti(e).

Exemple : *Quand nous (arriver), le spectacle (commencer).*
→ *Quand nous arriverons, le spectacle aura commencé.*

Quand nous (sortir), la nuit (tomber).
→ *Quand nous sortirons, la nuit sera tombée.*

e. Quand le chef d'orchestre (entrer), les musiciens (accorder) leurs instruments.
→ ....

f. Quand le rideau (se lever), les comédiens (prendre) leurs places.
→ ....

g. Quand tu (rentrer), nous (rentrer) nous aussi.
→ ....

h. Quand il (arriver), vous (apprendre) toute la chanson.
→ ....

i. Quand nous (quitter) notre maison de campagne, les invités (partir).
→ ....

j. Quand ils (voir) la pièce, ils (apprendre) à mieux l'apprécier.
→ ....

Quand tu es venu(e)
je cherchais un emploi.

Quand tu es venu(e)
j'avais trouvé un emploi.

Quand tu es venu(e)
j'étais parti(e).

6. Faites des phrases au passé avec *quand*.

Exemple : *Quand l'accident (se produire), l'avion (voler) à basse altitude.*
→ *Quand l'accident s'est produit, l'avion volait à basse altitude.*

a. Quand le film (commencer), les gens (faire) encore la queue dehors.
→ ....

b. Quand nous (arriver), vous (lire) un roman de Balzac !
→ ....

c. Il (se diriger) vers le théâtre, quand je le (voir).
→ ....

d. Je (être) en train d'écrire, quand tu me (téléphoner).
→ ....

Exemple : *Quand nous (arriver), les autres (partir).*
→ *Quand nous sommes arrivés, les autres étaient partis.*

e. Quand la séance (commencer), tout le monde (cesser) de bavarder.
→ ....

f. Quand ils (arriver) à la bibliothèque, les livres qu'ils cherchaient (disparaître).
→ ....

g. Quand le signal rouge (s'allumer), personne ne (s'apercevoir) du mauvais fonctionnement de l'appareil.
→ ....

h. Quand je (aller) réserver des places, on (fermer) déjà les guichets.
→ ....

i. Quand vous (prédire) le succès du peintre, vous (voir) sa nouvelle exposition.
→ ....

7. Faites des phrases au passé surcomposé avec *quand*.

Quand j'ai eu fini mon travail je suis parti(e).

Exemple : *Quand je (régler) ma dette, j'ai dû emprunter à nouveau de l'argent !*
→ Quand j'ai eu réglé ma dette, j'ai dû emprunter à nouveau de l'argent !

a. Quand il (terminer) le récital de piano, l'assistance s'est mise à applaudir.
→ ....

b. Quand elle (finir) sa lessive, la machine à laver est tombée en panne.
→ ....

c. Aussitôt qu'il (débarrasser) la table, les oiseaux sont arrivés pour manger les miettes.
→ ....

d. Dès que je (dépasser) les buissons, j'ai remarqué la maison bleue.
→ ....

e. Dès qu'elle (écrire) sa lettre, elle l'a portée à la poste.
→ ....

f. Sitôt que je (nettoyer) le plancher, vous êtes entrés les pieds couverts de boue.
→ ....

8. Faites des phrases au présent du subjonctif.

Exemple : *Je sais que tu réussiras ta carrière d'artiste.*
→ Je souhaite que tu réussisses ta carrière d'artiste.

a. Je sais qu'il prendra soin de son équipe d'ingénieurs du son.
→ ....

b. J'espère que vous le connaîtrez bien, ce peintre.
→ ....

c. Je pense qu'ils pourront assister à la première de leur film.
→ ....

d. J'imagine qu'elle viendra au repas de gala avec son fiancé.
→ ....

e. Je crois qu'on n'écrira pas ce scénario peu vraisemblable.
→ ....

f. Je découvre qu'on ne voit plus cet acteur sur le petit écran.
→ ....

9. Faites des phrases au passé du subjonctif.

LE SUBJONCTIF PASSÉ
que j'aie donné
que tu aies donné
qu'il/elle/on ait donné
que nous ayons donné
que vous ayez donné
qu'ils/elles aient donné

Exemple : *Nous devons terminer le compte rendu avant la réunion.*
→ Il faut que nous ayons terminé le compte rendu avant la réunion.

a. Tu dois donner la liste de noms avant la réunion.
→ ....

b. Il doit perdre sa mauvaise humeur avant notre rencontre.
→ ....

que je sois sorti(e)
que tu sois sorti(e)
qu'il/elle/on soit sorti(e)
que nous soyons sorti(e)s
que vous soyez sorti(e)(s)
qu'ils/elles soient sorti(e)s

que je me sois réveillé(e)
que tu te sois réveillé(e)
qu'il/elle/on se soit réveillé(e)
que nous nous soyons réveillé(e)s
que vous vous soyez réveillé(e)(s)
qu'ils/elles se soient réveillé(e)s

c. Je dois choisir un cinéaste sympathique avant Noël pour faire ce documentaire.
→ ....

Exemple : *Elles doivent arriver avant le début du spectacle.*
→ Il faut qu'elles soient arrivées avant le début du spectacle.

d. Ils doivent descendre dans le foyer de l'hôtel avant 19 heures.
→ ....

e. Elles doivent passer chez le libraire avant l'heure de l'apéritif.
→ ....

f. Elle doit partir à midi pour être là-bas avant la nuit.
→ ....

Exemple : *Je dois m'installer avant la fin du mois.*
→ Il faut que je me sois installé avant la fin du mois.

g. Tu dois rentrer en raison des préparatifs à faire.
→ ....

h. Ils devront arrêter de se disputer pour pouvoir travailler ensemble.
→ ....

i. Elle devra se décider sur l'interprétation du rôle avant la mise en scène du film.
→ ....

10. Faites des phrases négatives au passé du subjonctif.

Exemple : *Je crois que tu as réussi le concours.*
→ Je ne crois pas que tu aies réussi le concours.

a. Ils croient que je suis revenue exprès pour les revoir.
→ ....

b. On a l'impression que tu t'es excusé auprès d'eux.
→ ....

c. Nous admettons que vous avez changé de projet.
→ ....

d. Tu penses que ces poètes ont su exprimer l'ironie de la situation.
→ ....

e. Je trouve que l'auteur du roman a bien décrit cette région.
→ ....

f. On s'imagine qu'ils ont pu tourner un film en un mois.
→ ....

11. Faites des phrases au passé du subjonctif.

Exemple : *Bien qu'il (apprendre) déjà la danse, Petrov est venu répéter avec la troupe.*
→ ***Bien qu'****il ait déjà appris la danse, Petrov est venu répéter avec la troupe.*

a. Bien que nous (se disputer), nous vous aiderons à finir le projet.
→ ....

b. On n'a pas joué la scène avant que tous les comédiens (maîtriser) le dialogue.
→ ....

c. Je veux que vous (lire) la scène en une demi-heure.
→ ....

d. Nous sommes déçus que le scénario ne vous (plaire) pas.
→ ....

e. Je suis ennuyée que vous ne (comprendre) pas le texte.
→ ....

f. C'est dommage que tu ne (venir) pas hier.
→ ....

g. On regrette qu'elle ne (partir) pas avec eux.
→ ....

h. En attendant que tout le monde (se présenter), ils rédigeaient leur courrier.
→ ....

i. Il serait souhaitable qu'ils (mettre) en place l'éclairage avant le début de la répétition.
→ ....

12. Exprimez la simultanéité avec le présent du subjonctif.

Je suis / Je serai / Je serais content(e) qu'il *soit* là.

J'étais / J'ai été / J'aurais été content(e) qu'il *soit* là.

Exemple : *Tu es ici avec nous. Je préfère cela.*
→ Je préfère que tu sois ici avec nous.
Elle n'a pas écrit. J'en ai été inquiet.
→ J'ai été inquiet qu'elle n'écrive pas.

a. Ils seront dans la même voiture que nous. Nous en serons heureux.
→ ....

b. Tu sortais avec nous. J'aimais bien cela.
→ ....

c. Tu la faisais souffrir de cette manière. Elle ne méritait pas cela.
→ ....

d. Elle a eu un peu de temps pour elle. J'en ai été content.
→ ....

e. Nous aurions été là dans leur maison. Elles en auraient été ravies.
→ ....

f. Tu t'es tenu comme ça devant moi. Je n'ai pas aimé cela.
→ ....

13. Exprimez la postériorité au présent du subjonctif.

Je suis / Je serai / Je serais content(e) qu'il *vienne* bientôt.

J'étais / J'ai été / J'aurais été content(e) qu'il *vienne* le lendemain.

Exemple : *Il part bientôt. Je regrette cela.*
→ Je regrette qu'il parte bientôt.

a. Ils feront la paix bientôt. Je préfère cela.
→ ....

b. Elle prendra ma place dans quelque temps. Je ne supporte pas cela.
→ ....

c. Il recevra de bonnes nouvelles demain. Cela ne m'étonnerait pas.
→ ....

d. Les autres s'en allaient le lendemain. Il en était triste.
→ ....

e. Tu reviendrais la semaine suivante. J'aurais souhaité cela.
→ ....

f. Nous voulions partir avant le dîner. Vous en avez été vexé.
→ ....

> Je suis / Je serai / Je serais content(e) qu'il m'*ait téléphoné* avant mon départ.
>
> J'étais / J'ai été / J'aurais été content(e) qu'il m'*ait téléphoné* avant mon départ.

14. Exprimez l'antériorité au passé du subjonctif.

Exemple : *Je suis heureux. Il m'a écrit avant mon départ.*
→ Je suis heureux qu'il m'ait écrit avant mon départ.

a. Nous sommes déçus. Vous n'avez pas renouvelé le contrat.
→ ....

b. Cela m'agace. Elle a encore oublié notre rendez-vous !
→ ....

c. Nous serons toujours reconnaissants. Vous nous avez aidés.
→ ....

d. Vous seriez furieux. Elles se seraient encore ravisées.
→ ....

e. Il serait regrettable. Tu te serais fait renvoyer.
→ ....

Exemple : *Il avait oublié notre rendez-vous. Je le regrettais.*
→ Je regrettais qu'il ait oublié notre rendez-vous.

f. Il s'était désisté en faveur de son concurrent. Nous le craignions.
→ ....

g. Elle avait fait son apprentissage ailleurs. Il l'exigeait.
→ ....

h. Elle n'avait pas terminé le stage. Nous en avons eu peur.
→ ....

i. Vous auriez tout fait pour éviter le scandale. Je l'aurais souhaité.
→ ....

j. Tu aurais réparé les dégâts ? Cela m'aurait étonné.
→ ....

1. Ah ! si...

Vous venez de rater votre bus. Il part à 8 h 30 et vous êtes arrivé à l'arrêt à 8 h 35. Vous dites :

Exemple : *Ah ! si j'avais quitté la maison plus tôt !*

a. Vous vous êtes couché(e) tard et vous n'avez pas assez dormi. Vous trouvez difficile de vous réveiller et vous dites : ....

....

b. Vous venez tard dans l'après-midi pour acheter des billets pour un spectacle de danse. Il y a beaucoup de gens qui font la queue. Vous dites :

....

c. Vous arrivez chez vous et vous vous apercevez que vous avez oublié votre clé en changeant de sac le matin. Vous vous dites : ....

....

d. Vous avez un pneu crevé sur l'autoroute et par malchance la roue de secours n'est pas dans le coffre de la voiture. Vous dites : ....

....

e. Vous ne reconnaissez pas un voisin la nuit à l'entrée de votre immeuble et vous ne le saluez pas. Mais il vous sourit. Vous lui dites : ....

....

f. Le numéro du billet qui vient de gagner le gros lot à la Loterie nationale est celui que vous aviez pris la semaine passée. Vous dites : ....

....

2. Les étapes du concert.

Complétez les phrases en utilisant les expressions suivantes.

Faire la queue pendant trois heures ; (le silence) s'établir ; (la foule) se bousculer devant l'entrée ; (le public) retenir son souffle ; se précipiter pour avoir des places ; acheter des boissons ; rentrer content ; crier « bravo » ; applaudir ; (les feux de la rampe) s'allumer.

a. Quand on avait vu l'affiche du concert ....

b. Quand on avait acheté les billets ....

c. Quand on est arrivé au théâtre ....

d. Quand l'orchestre a commencé à jouer ....

e. Quand les chanteurs apparaissent sur la scène ....

f. Quand la chanteuse annonce chaque chanson ....

g. Quand l'entracte aura lieu ....

h. Quand les chanteurs reviendront sur scène ....

i. Quand le concert se terminera ....

j. Quand le concierge aura enfin fermé les portes du théâtre ....

3. Avez-vous le tempérament artiste ?

Donnez une réponse personnelle à chaque question. (Attention au temps des verbes !)

a. Si vous allez au cinéma, qu'est-ce que vous choisissez en général comme film ?

b. Si vous étiez écrivain, qu'est-ce que vous écririez ?

c. Quand vous vous êtes mis(e) à faire une activité artistique, vous étiez heureux(se) des résultats ?

d. Quand vous avez fait vos premières photos, vous les avez aimées ?

e. Si vous étiez né au début du siècle, vous auriez fait partie du mouvement surréaliste ?

f. Si vous aviez connu Albert Camus, vous l'auriez trouvé sympathique ?

g. Quand vous serez à la retraite, qu'aurez-vous comme passe-temps ou comme distractions ?

4. Au théâtre.

a. Vous êtes metteur en scène de théâtre, et votre spectacle va débuter dans quelques jours. Mais tout n'est pas encore prêt. Vous donnez des directives au régisseur, en disant :

Exemple : *D'ici là, il faut que tu aies vérifié l'ensemble de la production.*

Il faut que	tu	organiser l'emploi du temps des maquilleurs
	l'électricien	mettre les derniers éclairages
	le peintre	revenir pour peindre les décors
	la couturière	terminer les costumes
	la femme de ménage	nettoyer la salle
	le menuisier	réparer les sièges
	l'administration	sortir les affiches du spectacle
	les acteurs	finir d'apprendre par cœur leurs répliques
	les musiciens	régler le son
	tu	garder ton calme

b. Au cours de la pièce, une vieille dame médite sur un amour passé. Écrivez son monologue.

Exemple : *Je regrette que nous nous soyons rencontrés trop jeunes.*

Nous nous sommes rencontrés trop jeunes.

Nous avons eu souvent des disputes.

J'ai été un peu trop indépendante.

Il m'a quittée sans me dire adieu.

On ne s'est jamais revus.

Je n'ai aimé personne d'autre.

UNITÉ 4

Cochez la bonne réponse ou complétez la phrase.

1. Défendons la liberté à ☐ penser.
   de ☐

2. C'est une vieille machine d' ☐ écrire.
   à ☐

3. Achetez un album
   à ☐ colorier pour Josiane.
   de ☐

4. On regardera cette émission ? Je préfère en voir .... autre.

5. Vous voulez écouter ces chansons ?
   Je préfère en écouter .... autres.

6. Tu prends ce plat ? Je préfère en prendre .... autre.

7. Tu voudrais mettre ces vêtements ?
   J'aimerais en mettre .... autres.

8. Ils promettent de revenir bientôt. ☐
   qu'ils revenaient bientôt. ☐

9. Cela nous ennuie
   de rater le bus. ☐
   que nous raterons le bus. ☐

10. Cela me vexe que vous partez. ☐
    que vous partiez. ☐

11. Elle est contente de s'être ☐ promenée.
    d'avoir ☐

12. Ils sont heureux
    d'avoir récupéré ☐ leur voiture.
    récupérer ☐

13. Je les soupçonne
    de s'être ☐ responsables de l'erreur.
    d'être ☐

14. Avant avoir ☐ faire le gâteau,
    Avant de ☐
    elle a préparé les ingrédients.

15. Après avoir ☐ salué ses collègues,
    Après être ☐
    elle a quitté le bureau.

16. Après avoir ☐ dépêchée,
    Après s'être ☐
    elle a retrouvé ses amis au café.

17. Après avoir ☐ fini le repas,
    ☐ finir
    ils ont lu les journaux.

18. Après avoir sorti ☐
    être sortie ☐
    elle n'a plus pensé à lui.

19. Avant de parler ☐ il les a fait taire.
    parlé ☐

20. Je pense .... deviné la réponse.

21. J'avoue .... tombée dans l'escalier.

22. Elle admet .... fatiguée.

23. Tu crois .... trompé.

24. Vous vous imaginez .... remporté la victoire ?

25. Ils font
    enregistrer ☐ le nouveau produit.
    enregistré ☐

26. Elle fera traduit ☐ le discours étranger.
    traduire ☐

27. Ils ont fait venir ☐ les candidates.
    faites venir ☐

28. Il a fait réparer ☐ sa voiture.
faite réparer ☐

29. Ils se sont fait excusés ☐ encore une fois.
excuser ☐

30. Elle s'est fait ☐
faite ☐
couper les cheveux trop court.

31. Elles se sont fait ☐ comprendre en russe.
faites ☐

32. C'est une histoire
frappante ☐ l'imagination.
frappant ☐

33. C'est une crème
amaigrissant ☐ d'après la publicité.
amaigrissante ☐

34. C'est une femme
attirant ☐ cherchant ☐ à se marier.
attirante ☐ cherchante ☐

35. Connaître ☐ les difficultés, il hésitait.
Connaissant ☐

36. Elle quittait le lieu de l'accident en
s'avançant ☐ lentement.
s'avançait ☐

37. Elle dessinait en discuté ☐ au téléphone.
discutant ☐

38. En m'y mettons ☐
mettant ☐
de bon cœur, j'y arriverai.

39. Ayant ☐ des intérêts en commun,
Étant ☐
ils peuvent s'entendre.

40. En prenant ☐ le métro,
prenez ☐
vous y serez à l'heure.

41. Nous sommes rentrés
en même temps que ☐ vous.
le temps que ☐

UNITÉ 5

Cochez la bonne réponse.

42. Le temps que ☐ chercher mon sac,
Le temps de ☐
je serai prête.

43. Tu es resté chez toi
pendant ☐ ton congé de maladie.
pendant que ☐

44. Pendant que
j'ai ☐ travaillé, il n'a rien fait.
J'aie ☐

45. Il a été applaudi après que son discours
soit ☐ terminé.
a été ☐

46. Les grilles du lycée ferment après que les élèves aient quitté ☐ l'établissement.
ont quitté ☐

47. Ne sortez pas avant que
je vous le dise. ☐
dis. ☐

48. Ne parlez pas avant qu'on vous le
permet. ☐
permette. ☐

49. Depuis qu'il a été ☐ nommé chef,
ait été ☐
il prend un air important.

50. Tant que j'aurai ☐ des forces,
j'avais ☐
je resterai à mon poste.

51. En attendant que le train
part ☐ va chercher à boire.
parte ☐

52. Nous avons attendu notre amie jusqu'à ce qu'elle revient. ☐ / revienne. ☐

53. Ils ont patienté
jusqu'à ☐ la fin de la séance.
jusqu'à ce que ☐

54. Vous êtes resté aussi longtemps que vous
pouvez. ☐
avez pu. ☐

55. Comme ☐ ils apprécient
C'est pourquoi ☐
leurs employés, ils s'occupent d'eux.

56. Il va falloir en parler ;
en effet, ☐ la situation est délicate.
grâce à ☐

57. Elle ne veut pas prendre le bus
en raison de ☐ elle est pressée.
parce qu' ☐

58. La production va souffrir
à cause d' ☐ une réduction
parce qu' ☐
dans nos moyens.

59. Elle reçoit une augmentation de salaire
en raison de ☐ l'entreprise
parce que ☐
a fait des bénéfices.

60. C'est pourquoi ☐ le pouvoir d'achat
Puisque ☐
diminue, il vaut mieux baisser les prix.

61. Grâce à ☐ l'aide financière,
Puisque ☐
nous sommes sortis de la crise.

62. Du fait de ☐ vos interventions,
Du fait que ☐
le débat sur le budget sera prolongé.

63. Vu que ☐ les objections faites par eux,
Vu ☐
nous n'allons pas passer au vote.

64. Étant donné que ☐ la fréquence
Étant donné ☐
des grèves, la production ralentit.

65. Étant donné ☐ le bâtiment
Étant donné que ☐
a été construit il y a vingt ans, il a besoin de rénovations.

UNITÉ 6

Cochez la bonne réponse ou complétez les phrases.

66. Je vous ai acheté un réveil
afin que ☐ vous soyez à l'heure.
afin de ☐

67. Afin que ☐ pouvoir réparer l'appareil,
Afin de ☐
lisez le mode d'emploi.

68. Il faut jouer avec éclat pour que la foule
applaudit. ☐
applaudisse. ☐

69. Pour que tu connais ☐ / connaisses ☐ la réponse,
nous allons la chercher dans l'encyclopédie.

70. Approche-toi que je te dis ☐ / dise ☐ un mot.

71. Sans que sa mère le voie, ☐ / voit ☐
l'enfant est reparti.

72. Sans que ☐
Sans ☐
faire de bruit, l'enfant est entré.

73. Nous allons trouver notre chemin
à moins que vous perdez ☐ / perdiez ☐
la carte routière.

74. Il chuchotait de peur qu'on l'entende. ☐
entend. ☐

75. Il a appris à jouer de la guitare si bien qu'il paraît ☐ à la télévision
paraisse ☐
le dimanche.

76. Elle a été accablée par le malheur de sorte qu'elle en a ☐ fait
ait ☐
une dépression nerveuse.

77. Bien qu'il est ☐ au chômage,
soit ☐
il ne se laisse pas aller au désespoir.

78. Cet arbre a eu tellement de fruits que nous ne savons ☐ pas qu'en faire.
sachons ☐

79. Cet enfant a tellement mangé qu'il s'en est ☐ rendu malade.
s'en soit ☐

80. C'est cher mais je vais l'acheter
au contraire. ☐
quand même. ☐

81. Bien qu'il reprenne ☐ goût à la vie,
reprend ☐
il sort peu.

82. Bien qu'elle parte ☐ la première
part ☐
elle arrive toujours après nous.

83. Pourtant ☐ la pluie la fête a eu lieu.
Malgré ☐

84. En dépit de ☐ la chaleur,
En revanche ☐
ça a été un grand succès.

85. Tout en (chanter) .... les gens ont dansé dans les rues.

86. Quels que .... les ennuis quotidiens, on les oublie en s'amusant.

87. Quelle que .... son humeur, elle fera un travail professionnel.

88. Elle se dépêche toujours .... si elle n'est pas spécialement en retard.

89. Tu t'habilles toujours bien .... si tu es un peu fatiguée.

90. Ils ont prévu un énorme repas .... s'ils étaient une douzaine à table.

91. Tu peux réussir, à condition que tu prends ☐ le temps de réfléchir.
prennes ☐

92. Pourvu que tout aille ☐ bien,
va ☐
nous serons victorieux.

93. Au cas où vous oubliez ☐ l'heure
oublieriez ☐
je vous appellerai.

94. Il est arrivé alors que
j'étais ☐ en train de prendre le café.
j'aie été ☐

95. Tu as jeté le ballon tellement ☐ fort
trop ☐
que la fenêtre s'est cassée.

UNITÉ 7

Complétez les phrases.

96. Si on nous donne des tickets gratuits, on (aller) .... au concert.

97. Si je savais pourquoi, je vous le (dire) ....

98. Je viendrais bien avec toi, si j'en (avoir) .... la possibilité.

99. S'il l'avait voulu, il (finir) .... bien avant.

100. Si j'(être) .... au courant, je t'aurais averti.

101. Vous seriez majeur, vous (voter) ....

102. Il aurait perdu, il (être) .... quand même un champion.

103. Quand il ne sera pas là, tu le (regretter) ....

104. Quand le soleil se couchera, il (faire) .... nuit.

105. Quand l'accident s'est produit, elle (traverser) .... la rue.

106. Quand vous êtes arrivés, j'(partir) déjà ....

107. Quand il m'a vu je (chercher) .... un endroit pour me garer.

108. Quand ils (sortir) .... la pluie avait commencé à tomber.

109. Nous espérons que tu (faire) .... ce voyage sensationnel !

110. Je découvre qu'on ne (vendre) .... plus ce genre de modèle.

111. Il sait que nous (s'arrêter) .... plus tôt que prévu.

112. Je souhaite qu'elle (recevoir) .... son prix.

113. Je veux que vous (se dépêcher) .... le plus possible.

114. On aimerait qu'ils (être) .... à l'heure pour une fois.

115. Il faut que vous (se rencontrer) .... avant le début du mois.

116. Il est impératif qu'on (pouvoir accueillir) .... les invités d'honneur avant l'entrée du public.

117. D'ici une semaine je veux que mon client (régler) .... cette affaire.

118. Il faut que les enfants (se calmer) .... avant la distribution des cadeaux.

119. Il faut que nous (s'installer) .... avant la fin de l'année.

120. Bien qu'elle (commencer) .... la dernière, elle a fini avant les autres.

121. On a tourné la scène avant que les acteurs (apprendre) .... les répliques.

122. Il serait souhaitable qu'ils (mettre en place) .... le décor, avant la répétition.

123. Je suis heureux qu'il m'(téléphoner) .... avant de prendre cette décision.

124. Nous regrettions que tu (ne pas tenir) .... ta promesse.

125. Ils avaient peur que nous (ne pas prendre) .... assez de précautions.

➤ *Maintenant, regardez les réponses dans les* **Corrigés**, *comptez le nombre de vos réponses correctes et faites l'addition :* ___ / 125

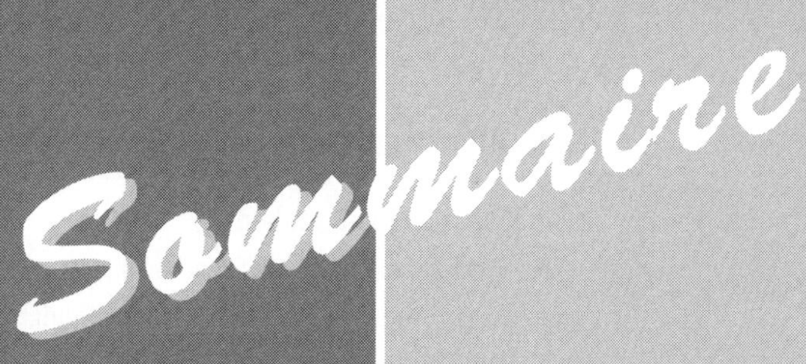

8

Le discours rapporté

Sommaire

FAÇONS DE DIRE

- *Attirer l'attention*
- *Amorcer la conversation*
- *À qui le tour ?*
- *Relancer la conversation*
- *Accepter ou rejeter une opinion*
- *Terminer ou recommencer la conversation plus tard*

GRAMMAIRE

- *Le style direct et indirect*
- *Le style indirect libre*

MISE EN PLACE

- *Une conversation*
- *Une lettre*
- *Un récit*

1. Attirer l'attention. Complétez les phrases suivantes.

a. S'il vous plaît madame, ...

b. Pardon, excusez-moi mademoiselle ....

c. Un moment monsieur ; s'il vous plaît ....

d. Dis, Nathalie ....

e. Hé, vous là-bas ....

2. Amorcer la conversation.

a. Faites correspondre les expressions ci-dessous aux catégories indiquées.

J'ai bien/très envie de (faire)... / Je compte bien (faire)... / Rappelle-toi que... / Comme vous le savez... / Je rêve de (faire)... / Je suis bien décidée à (faire)... / Dis donc, tu n'oublies pas que... / J'aimerais bien/beaucoup/tellement (faire)... / Je renonce à (faire)... /Comme je l'ai déjà dit... /Cela me dirait assez/beaucoup de (faire)... / Je tiens à (faire)... / Je vous signale que... / Si j'ai bonne mémoire, vous-mêmes, vous (faites)...

Exprimer un désir ....

....

Exprimer une intention ....

....

Rappeler quelque chose à l'autre personne ....

....

b. Imaginez une conversation avec une amie qui voudrait faire des études dans un pays francophone. Utilisez autant que possible les expressions ci-dessus.

....

....

....

3. Classez les expressions ci-dessous dans les catégories indiquées.

Attends, je continue. / Je t'interromps une minute... / Vas-y, raconte. / Je voudrais juste dire un mot. / Encore un mot, s'il vous plaît. / Rien à ajouter ? / Vous vouliez dire quelque chose ? / J'ai une question à poser si vous permettez... / Alors, qu'est-ce que tu as fait après ? / Laisse-moi finir. / Vous n'êtes pas de mon avis ? / Je peux terminer ma phrase ? / Bon, écoutez-moi maintenant. / Je vous écoute. / Je voudrais ajouter quelque chose. / Qu'est-ce que tu as à me dire ? / Laisse-moi parler.

– Pour garder la parole : ....

....

– Pour prendre la parole : ....

....

– Pour donner la parole : ....

....

4. Quelles expressions relancent la conversation après une pause ?

Qu'en penses-tu ? / Voilà ce qui s'est passé. / Tu ne crois pas ? / Je vais réfléchir. / Pas ici, je vous en prie. / Et alors ? / Qu'avez-vous à dire là-dessus ? / Ça jamais !

....

....

5. Accepter ou rejeter une opinion.

Vous avouez que l'opinion de l'autre personne est tout à fait juste. Parmi les phrases ou expressions suivantes, lesquelles indiqueraient que vous n'êtes pas d'accord avec son opinion (N).

a. ...... C'est vrai, j'aime être indépendante.
b. ...... Vous devez vous tromper.
c. ...... Je dirais plutôt...
d. ...... Effectivement.
e. ...... Mais pourquoi pas, en effet ?
f. ...... Ah non, je dois faire erreur.
g. ...... Sûrement pas.
h. ...... Vous avez peut-être raison.
i. ...... Oui, je te comprends.
j. ...... C'est vrai, j'ai tort.
k. ...... C'est en effet à prendre en considération.
l. ...... Excuse-moi, je n'ai rien dit.
m. ...... Tu devrais voir ça de plus près.
n. ...... Vous croyez vraiment ?
o. ...... Mais si, j'ai raison.
p. ...... Ce n'est pas évident, mais c'est comme ça.

6. Terminer ou recommencer la conversation plus tard.

Pour chacune des phrases ou expressions suivantes, dites si l'autre personne indique que tout a été dit (T) ou si elle voudrait rediscuter du sujet plus tard (R).

a. ...... Bien, on en reparlera.
b. ...... Je ne vois rien à ajouter.
c. ...... Bon, je vois que tout est clair.
d. ...... Je pense qu'on devrait reprendre cette discussion.
e. ...... Il y a encore beaucoup à dire.
f. ...... Inutile d'insister, nous ne serons jamais d'accord.
g. ...... En résumé, c'est ça.
h. ...... C'est un sujet passionnant.

i. ...... C'est trop important pour en rester là.
j. ...... C'est tout ce qu'on peut en dire.
k. ...... Le sujet mérite d'être approfondi davantage.
l. ...... Excusez-moi, je dois partir.
m. ...... Je suis heureuse de constater que nous partageons enfin le même point de vue.
n. ...... C'est un débat sans fin.

Imaginez une conversation qui se déroule ainsi :
a. Attirer l'attention : ....
b. Exprimer une intention : ....
c. Rappeler quelque chose à l'autre personne : ....
d. C'est à moi de parler : ....
e. Relancer la conversation : ....
f. Rejeter l'opinion de l'autre personne :...
g. Terminer : ....

GRAMMAIRE

« La séance est levée » déclare-t-elle.

Elle déclare que la séance est levée.

1. Écrivez dans le style indirect.

Exemple : *Elle s'écrie : «Eh bien, quoi ! Ça n'a pas d'importance !»*
→ Elle s'écrie que ça n'a pas d'importance.

a. L'officier de garde prévient les personnalités : « L'inauguration commence ! »
→ ....
b. Le Premier ministre annonce : « Mesdames, messieurs, la situation est grave. »
→ ....
c. Le consul affirme : « La crise du pays continue. »
→ ....
d. « Bravo ! Il était temps ! » s'exclame le Président.
→ ....
e. « Bon, bien, on va faire venir les journalistes », dit l'attachée de presse.
→ ....
f. « Hélas ! le moment de vérité arrive » pense-t-elle.
→ ....

2. Écrivez dans le style indirect.

Exemple : *Il annonce à sa femme : « Je suis fatigué et je ne déjeune pas. »*
→ Il lui annonce qu'il est fatigué et qu'il ne déjeune pas. »

a. Il répond à son interlocuteur : « Je peux venir sur place et examiner les plans. »
→ ....

b. « C'est Bonpoint qui dirige l'affaire, affirme-t-elle à son collègue, et son patron en tirera les bénéfices. »

→ ....

c. « Il est interdit de fumer, expliquons-nous aux visiteurs, et nous nous en tenons au règlement. »

→ ....

d. Le conseiller économique explique aux paysans : « Maintenant vous devez pouvoir augmenter vos revenus. »

→ ....

e. L'enseignant annonce à ses étudiants : « Mes amis, vos examens approchent et vous avez encore beaucoup à faire. »

→ ....

3. Écrivez dans le style indirect.

Exemple : *Il me prévient : « Tu t'es trompé. »*
→ Il me prévient que je me suis trompé.

Il me répète : « Vos calculs nous semblent faux. »
→ Il me répète que nos calculs leur semblent faux.

a. Il m'avertit : « Tes affaires ont été envoyées chez toi. »

....

b. Annie nous explique : « Votre comportement est inacceptable ! »

....

c. « Vos démarches me sont incompréhensibles » me dit Henri.

....

d. « Mes actions ne concernent que moi » leur dit le représentant.

....

e. Tu m'annonces : « Les valises diplomatiques sont dans ta voiture ! »

....

f. « Mes conseillers me sont fidèles » nous affirme la Présidente.

....

g. Elle nous téléphone et nous dit : « Je suis libre et je pars avec vous ! »

→ ....

h. « Tes idées sont meilleures que les miennes », avoue mon collègue.

....

4. Rapportez les paroles. Attention à qui parle !

Exemple : *Anne me parle d'elle : « J'aime bien mon travail. » Que dit-elle ?*
→ Elle dit qu'elle aime bien son travail.

Anne me parle de Jacques : « Il a des enfants adorables. » Qu'est-ce que je dis à Jacques ?
→ Anne dit que tu as des enfants adorables.

a. Anne et son collègue Lucien me parlent d'eux : « Nous n'aimons pas notre patron. »

Que disent-ils ?

→ ....

b. Anne me parle de moi : « Tu gagnes bien ta vie. »
Que dit-elle ?
→ ....

c. Anne me parle de moi (en pensant aussi à ma femme, Louise) : « Vous avez une belle maison. »
Que dit-elle ?
→ ....

d. Anne parle à Lucien : « Tu as une femme remarquable. »
Que dit-elle ?
→ ....

e. Anne me parle de Lucien : « Il a une femme remarquable. »
Qu'est-ce que je dis à Lucien ?
→ ....

f. Anne parle à Lucien de ma femme Louise et de moi : « Ils n'ont pas de voiture. »
Qu'est-ce que Lucien me dit ?
→ ....

g. Anne me parle de Lucien et de sa femme, Paule : « Ils ont une vie très libre. »
Qu'est-ce que je dis à ma femme Louise ?
→ ....

Il a dit à l'étudiant :
« Taisez-vous. »
→ Il lui a dit de se taire.

« Ne vous fatiguez pas »
a-t-elle conseillé à ses amis.
→ Elle leur a conseillé de
ne pas se fatiguer.

5. Écrivez dans le style indirect.

Exemple : *Il leur a dit : « Écrivez ! »*
→ Il leur a dit d'écrire.
« Lisez ! » lui a-t-on conseillé.
→ On lui a conseillé de lire.

a. « Tirez » leur a-t-on ordonné. → ....
b. Il nous a dit : « Partez ! » → ....
c. « Réfléchis », m'a-t-elle conseillé. → ....
d. « Détends-toi », lui a-t-elle conseillé. → ....
e. Ils leur ont dit : « Asseyez-vous ! » → ....
f. On lui a dit : « Calme-toi ! » → ....
g. « Reposez-vous ! » leur a-t-on conseillé. → ....

Exemple : *On leur a dit : « N'écrivez pas ! »*
→ On leur a dit de ne pas écrire.

h. Ils m'ont dit : « Ne bois pas. » → ....
i. « Ne conduisez pas » lui a-t-on demandé. → ....
j. « Ne répondez pas » vous ai-je suggéré. → ....
k. Il l'a prévenu : « Ne te mets pas en colère. » → ....
l. Tu leur as dit : « Ne vous énervez pas. » → ....
m. « Ne vous en faites pas ! » leur a-t-elle suggéré. → ....
n. Il l'a suppliée : « Ne t'en va pas ! » → ....

Exemple : *On m'a dit : « Dépêche-toi ! »*
→ On m'a dit de me dépêcher.
On m'a dit : « Ne te dépêche pas ! »
→ On m'a dit de ne pas me dépêcher.

o. On m'a dit : « Amuse-toi ! » → ....
p. On m'a dit : « Ne te fâche pas ! » → ....
q. On t'a dit : « Repose-toi ! » → ....
r. On t'a dit : « Ne te trompe pas ! » → ....
s. On nous a dit : « Défendez-vous ! » → ....
t. On nous a dit : « Ne vous absentez pas ! » → ....
u. On vous a dit : « Promenez-vous ! » → ....
v. On vous a dit : « Ne vous impatientez pas ! » → ....

6. Écrivez dans le style indirect.

Il dit : « Je ne comprends pas. »
Il dit qu'il ne comprend pas.

Il dit : « Je n'ai pas compris. »
Il dit qu'il n'a pas compris.

Il dit : « Je n'avais pas compris. »
Il dit qu'il n'avait pas compris.

Il dit : « Je ne comprendrai pas. »
Il dit qu'il ne comprendra pas.

Il dit : « Je ne comprendrais pas. »
Il dit qu'il ne comprendrait pas.

Exemple : *Il dit : « Je suis venu après l'heure de fermeture. »*
→ Il dit qu'il est venu après l'heure de fermeture.

a. Il dit : « Je n'ai pas bien expliqué le problème. »
→ ....
b. Elle répète : « Nous devons aller tout de suite au commissariat. »
→ ....
c. Si tu le questionnes, il répondra toujours : « Je ne sais pas. »
→ ....
d. Elle pense : « Je ne ferais pas une telle erreur. »
→ ....
e. Il affirme : « Nous ne pourrions pas venir avec vous. »
→ ....
f. Si tu insistes, elle t'expliquera : « Je ne fais pas de sport. »
→ ....
g. Il dira toujours : « Je viendrai dès que je pourrai. »
→ ....
h. Ils répondent : « Nous n'aimions pas l'exposition, c'est pourquoi nous sommes partis. »
→ ....
i. Si tu lui demandes de l'aide, il te promettra : « Je passerai plus tard. »
→ ....

7. Écrivez dans le style indirect.

Exercice : *Il m'a dit : « Je rentre d'un voyage dans le Pacifique. »*
→ Il m'a dit qu'il rentrait d'un voyage dans le Pacifique.

a. Il m'a dit : « La vie est très belle là-bas dans les îles. »
→ ....

Il m'a dit : « Il fait beau. »
Il m'a dit qu'il faisait beau.

Il m'a dit : « Il faisait beau hier. »
Il m'a dit qu'il faisait beau hier.

Il m'a dit : « Il a fait beau hier. »
Il m'a dit qu'il avait fait beau hier.

Il m'a dit : « Je suis parti à l'aube. »
Il m'a dit qu'il était parti à l'aube.

Il m'a dit : « Je vais faire le voyage. »
Il m'a dit qu'il allait faire le voyage.

Il m'a dit : « Je ferai le voyage. »
Il m'a dit qu'il ferait le voyage.

Il m'a dit : « Je serai parti dans une heure. »
Il m'a dit qu'il serait parti dans une heure.

Il m'a dit : « J'aimerais faire le voyage. »
Il m'a dit qu'il aimerait faire le voyage.

b. Il m'a dit : « Il y avait une brise vraiment douce sur les îles. »
→ ....

c. Il m'a dit : « Il a fait beau pendant tout le voyage. »
→ ....

d. Il m'a dit : « Nous partions très tôt tous les matins pour aller pêcher. »
→ ....

e. Il m'a dit : « Je vais y retourner tous les deux ans. »
→ ....

f. Il m'a dit : « Je ferai des économies rien que pour ça. »
→ ....

g. Il m'a dit : « J'aurai gagné assez d'argent pour pouvoir repartir. »
→ ....

h. Il m'a dit : « Mes amis aimeraient faire ce voyage aussi. »
→ ....

8. Écrivez dans le style indirect.

Exemple : *Il a dit : « J'ai reçu la visite d'un ami. »*
→ Il a dit qu'il avait reçu la visite d'un ami.

a. Khalil, mon voisin africain, a dit : « Djamel est venu me voir. »
→ ....

b. Il a annoncé : « J'ai envie de retourner dans mon pays. »
→ ....

c. Il m'a expliqué : « Ma sœur va se marier. »
→ ....

d. Il a ajouté : « Je serai parti avant la fin de la semaine. Tu n'as qu'à venir avec Djamel et moi ! »
→ ....

e. On nous a annoncé : « L'avion partira dans une heure environ. »
→ ....

f. J'ai chuchoté : « Ils vont être en retard encore une fois ! »
→ ....

g. Khalil a affirmé : « Les passagers pour Dakar seront embarqués avant nous. »
→ ....

h. Ils ont dit : « Nous aimions beaucoup ce voyage quand nous étions jeunes. »
→ ....

i. Ils ont avoué : « Ça nous plaira de le refaire avec toi. »
→ ....

j. J'ai répondu : « Vous auriez pu quand même m'inviter plus tôt ! »
→ ....

9. Écrivez dans le style indirect.

Exemple : *Elle m'a annoncé : « Je viens et je vais diriger l'enquête moi-même. »*
→ Elle m'a annoncé qu'elle venait et qu'elle allait diriger l'enquête elle-même.

a. Il m'a dit : « Ma voiture est trop vieille et je vais en acheter une autre. »
→ ....

b. Mes parents me disaient : « Au lieu de te plaindre, tu dois t'occuper de tes frères ou le diable va s'occuper de toi. »
→ ....

c. Tu lui avais annoncé : « Je rentre au village et je ne vais pas le quitter. »
→ ....

d. Ils m'avaient avoué : « Il y aura des conséquences malheureuses. »
→ ....

Exemple : *Il les a encouragés et il leur a dit : « Vous faites des progrès. »*
→ Il les a encouragés en leur disant qu'ils faisaient des progrès.

e. Nous lisions le commentaire et nous répétions : « C'est tout à fait illogique. »
→ ....

f. Ils nous ont félicités et ils ont remarqué : « Votre aide nous est précieuse. »
→ ....

g. Tu m'avais arrêté et tu avais ajouté : « Cela ne vaut pas la peine de recommencer. »
→ ....

h. Vous aviez annoncé le programme et vous aviez observé : « Les résultats dépendront du bien-fondé des prévisions. »
→ ....

Il me disait : « Il fait beau. »
Il me disait qu'il faisait beau.

Il m'a dit : « Il fait beau »
Il m'a dit qu'il faisait beau.

Il m'avait dit : « Il fait beau. »
Il m'avait dit qu'il faisait beau.

Il m'avait dit : « Il fera beau. »
Il m'avait dit qu'il ferait beau.

10. Écrivez dans le style indirect.

Exemple : *Je leur avais dit : « Les magasins seront fermés demain pour travaux. »*
→ Je leur avais dit que les magasins seraient fermés le lendemain pour travaux.

a. Elle m'a écrit : « J'ai déménagé aujourd'hui et je t'inviterai la semaine prochaine ! »
→ ....

b. Elles leur ont annoncé : « En ce moment nous préparons le budget, nous vous appellerons dans deux jours. »
→ ....

c. Au téléphone le secrétaire avait répondu : « Il est parti avant-hier et il sera à Genève après-demain. »
→ ....

	Discours direct
Présent	aujourd'hui
	ce soir
	en ce moment
Passé	hier
	avant-hier
	lundi dernier
	il y a trois jours
Futur	dimanche prochain
	demain
	après-demain
	dans trois jours

Discours indirect	
Présent	ce jour-là
	ce soir-là
	à ce moment-là
Passé	la veille
	l'avant-veille
	trois jours plus tôt
	le lundi précédent
Futur	le dimanche suivant
	le lendemain
	le surlendemain
	trois jours plus tard

Louis demande à Renée :
« Est-ce que tu es prête ? »
Louis lui demande si elle est prête.

Louis a demandé à Renée :
« Quand vas-tu rentrer de Londres ? »
Louis lui a demandé quand elle allait rentrer de Londres.

d. Mes parents m'ont conseillé : « Il faut revenir ce soir ! Il y aura du monde sur les routes demain. »

→ ....

e. « Hier, il y avait un tas de gens sur la plage, songeait-il, mais dimanche dernier, il n'y avait personne. »

→ ....

f. « La semaine dernière, à cette heure-ci, nous étions de passage à Strasbourg », nous ont-ils répondu. »

→ ....

g. « J'ai arrêté de fumer il y a trois jours. En ce moment je me sens très bien », m'avais-tu écrit.

→ ....

11. Posez des questions dans le style indirect.

Exemple : *« Est-ce que tu es disponible ? » Qu'est-ce que Louis demande à Renée ?*
→ Louis lui demande si elle est disponible.

a. « Est-ce que tu viens ici souvent ? » Qu'est-ce que Louis demande à Renée ?

→ ....

b. « Est-ce que tu viendras dîner ? » Qu'est-ce que Louis a demandé à Renée ?

→ ....

c. « Quand vas-tu me téléphoner ? » Qu'est-ce que Louis a demandé à Renée ?

→ ....

d. « Où irez-vous dimanche prochain ? » Qu'est-ce que Louis demande à Renée et à Yvonne ?

→ ....

e. « Pourquoi vous êtes-vous mises en colère contre moi ? » Qu'est-ce que Louis a demandé à Renée et à Yvonne ?

→ ....

12. À la rédaction du journal : la rédactrice en chef et un journaliste.

Exemple : *« Est-ce que vous avez rédigé votre article ? »*
→ Elle lui a demandé s'il avait rédigé son article.

a. D'où est-ce que vous venez ?

→ ....

b. Comment est-ce que vous êtes revenu ?

→ ....

c. À quelle heure est-ce que vous avez atterri ?

→ ....

d. Pourquoi n'avez-vous pas appelé le bureau hier ?

→ ....

e. Qui avez-vous interviewé à Bruxelles avant-hier ?
→ ....

f. Combien de sites avez-vous visités mercredi dernier ?
→ ....

g. Lequel était le plus intéressant à voir ?
→ ....

h. Est-ce que vous repartirez demain ?
→ ....

i. Quel vol prendrez-vous cette fois-ci ?
→ ....

13. Écrivez dans le style indirect.

Il demande : « Qu'est-ce qui se passe ? »
Il demande ce qui se passe.

Il demande : « Qu'est-ce que vous faites ? »
Il demande ce que vous faites.

Exemple : *« Qu'est-ce qui le pousse à se comporter ainsi ? » demandait-elle.*
→ Elle demandait ce qui le poussait à se comporter ainsi.
« Qu'est-ce que vous pensez faire ? » a-t-il demandé.
→ Il a demandé ce que nous pensions faire.

a. « Qu'est-ce qui a provoqué l'accident ? » a demandé le gendarme.
→ ....

b. « Qu'est-ce que vous voulez ? » avait demandé la voisine.
→ ....

c. « Qu'est-ce qui ne t'a pas plu ? » voulait savoir le guide.
→ ....

d. « Qu'est-ce qu'on doit lui envoyer ? se demandaient les parents.
→ ....

e. « Qu'est-ce qu'il fallait faire pour avoir un permis ? » a demandé l'étranger.
→ ....

f. « Qu'est-ce qui est écrit sur le panneau ? » se demandait le touriste.
→ ....

g. « Qu'est-ce que nous avons fait de mal ? » voulaient savoir les enfants.
→ ....

h. « Qu'est-ce qui a été dit devant le juge d'instruction ? » essayait de se rappeler l'avocat.
→ ....

14. Écrivez le texte dans le style indirect libre.

Style indirect
Il pensait souvent à son amie. Il se demandait où elle était, ce qu'elle faisait, pourquoi elle refusait de lui téléphoner. Il se disait qu'il fallait à tout prix la recontacter.

Style indirect libre
Il pensait souvent à son amie. Où était-elle ? Que faisait-elle ? Pourquoi refusait-elle de lui téléphoner ? Oui, il fallait à tout prix la recontacter.

Exemple : *Il réfléchissait à l'Europe. Il se demandait ce que serait son destin.*
→ Il réfléchissait à l'Europe. Quel serait son destin ?

« Il pensait souvent à la nouvelle Europe. Il se demandait comment on ferait pour vivre ensemble et heureux. Il se demandait où se trouverait la capitale. Il avait envie de savoir où serait le siège du Parlement et comment s'appellerait le Président. Il voulait savoir si on allait pouvoir circuler plus librement, et si on allait avoir un permis de conduire unique. Il se demandait si les Européens allaient pouvoir acheter des marchandises moins cher. Il se demandait ce qu'on allait faire pour harmoniser les lois et les impositions fiscales. Il se demandait aussi si on allait libéraliser des services tels que le transport et le téléphone. Il se disait que les diplômes allaient être reconnus mutuellement et qu'on devrait pouvoir trouver du travail partout. Il pensait aussi à la possibilité de vivre dans le pays de son choix. Il se disait que la nouvelle Europe serait une aventure passionnante. »

....

....

....

....

....

....

MISE EN PLACE

1. Une conversation.

M. et Mme Cellard et Mme Montel parlent dans le métro. M. Cellard n'entend pas bien et demande ce que Mme Montel a dit.

Mme Montel :	Ce matin, je me suis fait bousculer sur le trottoir par un jeune voyou.
M. Cellard :	Qu'est-ce qu'elle a dit ?
Mme Cellard :	Elle a dit que ....
Mme Montel :	Je lui ai filé une bonne paire de claques !
M. Cellard :	Qu'est-ce qu'elle a dit ?
Mme Cellard :	Elle a raconté que ....
Mme Montel :	Si vous aviez été à ma place, qu'auriez-vous fait ?
M. Cellard :	Qu'est-ce qu'elle a dit ?
Mme Cellard :	Elle a demandé ce que ....
Mme Montel :	Ça ne m'étonnerait pas que ce soit un trafiquant de drogue !
M. Cellard :	Qu'est-ce qu'elle a dit ?
Mme Cellard :	Elle prétend que ....
Mme Montel :	Votre mari est vraiment dur d'oreille, non ?
M. Cellard :	Qu'est-ce qu'elle a dit ?
Mme Cellard :	Elle a dit que ....

2. Robert a reçu une lettre de sa femme, Charlotte. La voici.

« Mon chéri,

Me voici enfin à Québec. Tes parents m'attendaient à l'aéroport comme prévu, et nous sommes partis tout de suite pour leur villa à la campagne. Le premier soir nous avons parlé jusqu'à minuit de toi et de la vie à Paris. Nous ne nous sommes pas couchés avant une heure du matin ! Mais nous nous sommes réveillés tard le lendemain.

Nous avons déjeuné chez tes grands-parents. Comme tu sais, je ne m'attendais pas à les voir mais ils ne sont pas partis cette année à la Martinique comme d'habitude. Nous avons passé un bon moment chez eux. Tes cousins ont demandé de tes nouvelles et veulent savoir quand tu leur rendras visite.

Au début de mon séjour, il a fait très beau, mais ces derniers jours le temps est devenu vraiment maussade. J'espère que tu manges bien et que tu ne te fatigues pas trop au boulot. Je t'embrasse très fort.

Charlotte »

Maintenant Robert raconte à son copain Yves le contenu de la lettre.

Charlotte a dit que ....

....

....

....

....

....

3. Un récit

Réécrivez ce récit en utilisant le discours direct.

« Elle m'a parlé de sa jeunesse. Elle m'a dit que quand elle était petite, ses parents la forçaient à faire des devoirs de vacances. Elle se rappelait que ça l'avait tellement marquée qu'elle avait pris la décision de ne jamais soumettre ses propres enfants au même régime !

Elle a ajouté qu'elle avait d'autres souvenirs qui lui faisaient très plaisir. Elle se souvenait que son père l'emmenait souvent à la pêche et qu'avec sa mère, dans la cuisine de la ferme, elle faisait des madeleines pour le goûter. Elle m'a avoué qu'elle n'aurait pas su nager sans les leçons de natation données par son oncle dans la rivière.

Elle m'a demandé si moi j'avais quelques bons souvenirs d'enfance. J'ai été obligé de lui répondre que non. »

....

....

....

....

....

....

Sommaire

9

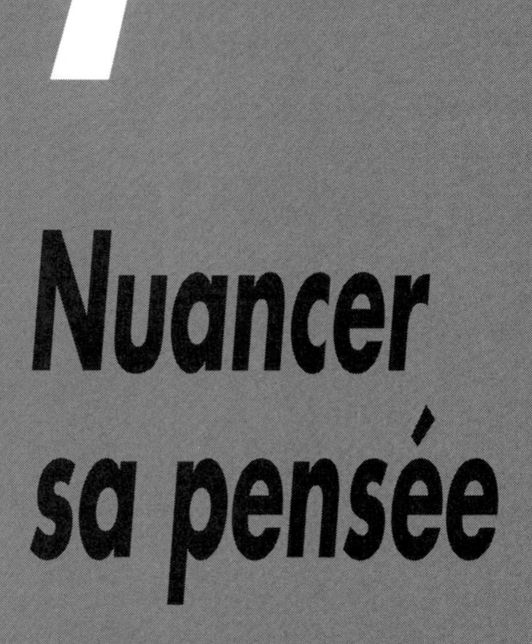

Nuancer sa pensée

FAÇONS DE DIRE

- *Généraliser, atténuer*
- *Renforcer son opinion*
- *Supposer*
- *Expliquer*
- *Enchaîner*
- *Résumer*

GRAMMAIRE

- *La certitude et le doute*
- *La possibilité et la probabilité*
- *L'obligation et la nécessité*
- *Constructions impersonnelles*
- *Constructions passives*

MISE EN PLACE

- *Réactions diverses*
- *Le pour et le contre*

1. Généraliser, atténuer.

Voici une série de jugements concernant les écologistes. Utilisez les mots ou expressions donnés pour les atténuer.

a. Ils ont raison ?

Très souvent ; souvent ; peu souvent ; quelquefois ; parfois ; rarement.

Les écologistes ont toujours raison.	**Les écologistes n'ont jamais raison.**
....	....
....	....
....	

b. Ils sont idéalistes ?

La plupart des ; beaucoup de ; une majorité de ; certains ; peu de.

Tous les écologistes sont idéalistes.	**Aucun écologiste n'est idéaliste.**
....	....
....	....
....	

c. Ils sont engagés ?

Très ; plutôt ; assez ; peu.

Les écologistes sont les plus engagés.	**Les écologistes sont les moins engagés.**
....	....
....	
....	

2. Renforcer ses paroles.

Vous faites d'abord quatre affirmations au sujet des écologistes.

Exemple : *Les écologistes vont sauver le monde.*

Ensuite vous renforcez chaque affirmation en utilisant l'une des phrases ou expressions suivantes :

C'est évident. / J'en suis convaincu(e). / C'est ce que je crois. / Je vous assure que... / Je suis bien placé(e) pour savoir que... / À mon avis, il n'y a pas l'ombre d'un doute.

a. ....

b. ....

c. ....

d. ....

3. Supposer.

Supposez qu'en l'an 2500 nous vivions sur la lune. Faites la même supposition en utilisant les expressions suivantes :

a. Il est possible que ....

b. Nous vivrons peut-être ....

c. Il se peut que ....

d. On peut imaginer que ....

e. Il se pourrait bien que ....

4. Expliquer.

Il s'agit d'expliquer une affirmation que vous ferez à propos de la pollution des mers. Donnez trois explications en utilisant les expressions suivantes :

a. Je vais vous expliquer pourquoi / comment / quand...

....

b. C'est comme ça / C'est vrai parce que... et que...

....

c. Il en est ainsi parce que d'une part... et que d'autre part...

....

5. Enchaîner.

Vous réagissez à l'opinion exprimée par l'autre personne sur les inégalités entre les pays riches et les pays pauvres en disant :

a. Moi, à mon avis ....

b. Oui, mais pour ma part ....

c. On pourrait ajouter que ....

d. Il est pourtant clair que ....

e. Vous feriez mieux de ....

6. Résumer.

À la fin d'une conversation ou d'une histoire on veut souvent faire un résumé de ce qui a été dit sans entrer dans les détails. Vous pouvez utiliser les expressions suivantes pour résumer une discussion sur l'explosion de la croissance démographique.

a. En bref / En gros ....

b. En quelques mots / En deux mots, je dirai que ....

c. Pour résumer, on peut dire que ....

d. Enfin, je vais résumer en disant que ....

1. Exprimez la certitude selon le modèle.

Exemple : *Je suis certain qu'elle (faire) plus tard une carrière politique.*
→ *Je suis certain qu'elle fera plus tard une carrière politique.*

a. Elle est certaine que vous (défendre) plus tard la cause du peuple.
→ ....

b. Nous étions sûrs qu'il (s'agir) chaque fois de sympathisants de la gauche.
→ ....

c. Vous étiez persuadés que la droite ne (gagner) pas la dernière fois.
→ ....

d. Elles seront convaincues que des thèmes écologistes (dominer) le prochain débat.
→ ....

2. Exprimez le doute selon le modèle.

Exemple : *Je doute qu'elle (faire) plus tard une carrière politique.*
→ *Je doute qu'elle fasse plus tard une carrière politique.*

a. Elle doute que l'organisation d'un référendum (avoir) lieu.
→ ....

b. Nous pouvons douter que la solution proposée (être) efficace.
→ ....

c. Vous doutiez toujours que ces mesures (recevoir) l'approbation des votants.
→ ....

d. Elle douteront encore que les autorités (savoir) rétablir la situation.
→ ....

3. Exprimez le doute selon le modèle.

Exemple : *Le succès de sa campagne politique est aléatoire.*
→ *On doute du succès de sa campagne politique.*

a. Le destin national du candidat est incertain.
→ ....

b. Les affirmations de la candidate sont discutables.
→ ....

c. La véracité de leur récit est contestable.
→ ....

d. Le sens de son discours est ambigu.
→ ....

e. Le résultat des élections est hypothétique.
→ ....

4. Exprimez la certitude.

Retrouvez pour chaque expression ou chaque phrase de l'exercice une expression ou une phrase de sens équivalent dans la liste ci-dessous.

Exemple : *Sans aucun doute → certainement*

C'est certain. / Ils sont très sûrs de tout. / Certainement. / Le résultat est incontestable. / Je le savais. / Assurément. / Rassurez-moi !

a. Sans nul doute. → ....
b. À n'en pas douter. → ....
c. Ils ne doutent de rien. → ....
d. Le résultat est hors de doute. → ....
e. Cela ne fait aucun doute. → ....
f. Ne me laissez pas dans le doute. → ....
g. Je m'en doutais. → ....

5. Exprimez la certitude ou le doute selon le modèle.

Exemple : *Il est évident que cette politique a beaucoup de succès.*
→ Il n'est pas évident que cette politique ait beaucoup de succès.

a. Il est évident que le gouvernement est en difficulté.
→ ....
b. Il est certain que les élections auront lieu en juin.
→ ....
c. Il est sûr qu'un référendum permettra de résoudre le conflit.
→ ....
d. Il est vrai que la population vient en aide aux insurgés.
→ ....
e. Il n'est pas douteux que le changement des mentalités se fera.
→ ....
f. Il est prévu que la conjoncture économique se dégradera.
→ ....

6. Exprimez la probabilité selon le modèle.

Exemple : *Le ministre viendra probablement à la réunion.*
→ Il est probable que le ministre viendra à la réunion.
→ Il est peu probable que le ministre vienne à la réunion.

a. Le Président sera probablement réélu.
→ ....
→ ....
b. L'armée mettra un terme à la tentative démocratique.
→ ....
→ ....

c. Il y aura des troubles après les élections.

→ ....

→ ....

d. Les combats feront rage dans les régions libérées.

→ ....

→ ....

7. Exprimez la possibilité et l'impossibilité selon le modèle.

Exemple : *Le ministre viendra peut-être à la réunion.*
→ Il est possible que le ministre vienne à la réunion.
→ Il se peut que le ministre vienne à la réunion.
→ Il est impossible que le ministre vienne à la réunion.

a. La pollution de l'air sera peut-être la question la plus préoccupante.

→ ....

→ ....

→ ....

b. La propreté de la mer deviendra peut-être le problème majeur.

→ ....

→ ....

→ ....

c. Les espaces verts feront défaut dans les nouvelles villes.

→ ....

→ ....

→ ....

d. L'urbanisme sauvage enlaidit certains quartiers.

→ ....

→ ....

→ ....

8. Classez les phrases suivantes selon leur degré de probabilité (du plus certain au moins certain).

a. Il est totalement exclu qu'on procède à des élections anticipées.

b. Il est peu probable que le gouvernement réussisse à résoudre la crise.

c. Il est fort possible que cette nouvelle mesure provoque la colère des ouvriers.

d. Il ne serait pas impossible que le Président change de Premier ministre.

e. Il se peut fort bien qu'on fasse un référendum.

f. Il n'est pas impossible que des troubles sociaux éclatent.

g. Il est probable que les accords économiques seront signés.

1. ... *2. ...* *3. ...* *4. ...* *5. ...* *6. ...* *7. ...*

9. Exprimez l'obligation selon le modèle.

je dois dire
il faut que je dise

je devais dire
il fallait que je dise

j'ai dû dire
il a fallu que je dise

je devrai dire
il faudra que je dise

je devrais dire
il faudrait que je dise

Exemple : *Le Premier ministre a dû dire la vérité.*
→ *Il a fallu que le Premier ministre dise la vérité.*

a. Le Premier ministre devra dire la vérité.
→ ....

b. Le ministre devait connaître parfaitement le dossier.
→ ....

c. Est-ce que les conservateurs doivent être mis au courant ?
→ ....

d. Les progressistes ne devaient pas faire de concessions.
→ ....

e. Les grévistes ne devraient pas aller jusqu'au bout.
→ ....

10. Exprimez l'obligation selon le modèle.

Exemple : *Il fallait absolument que les écologistes participent à la réunion.*
→ *Les écologistes devaient absolument participer à la réunion.*

a. Il faudrait que les autorités apprennent la vérité.
→ ....

b. Il a fallu que le chef de l'entreprise reçoive les syndicalistes.
→ ....

c. Il ne fallait surtout pas que les ouvriers occupent l'usine.
→ ....

d. Faut-il que tous les partis se mettent d'accord ?
→ ....

e. Ne faudra-t-il pas qu'on dépose bientôt un préavis de grève ?
→ ....

11. Exprimez la nécessité selon le modèle.

Exemple : *Il est nécessaire que tu (savoir) tout.*
→ *Il est nécessaire que tu saches tout.*

a. Il est important que tu (être) .... au courant de la décision.
b. Il importe peu que tu (répondre) .... tout de suite.
c. Il n'est pas nécessaire que tu (faire) .... partie du comité.
d. Il serait nécessaire que tu (comprendre) .... bien la loi.
e. Il était obligatoire que nous (respecter) .... la limitation de vitesse.

12. Exprimez une opinion selon le modèle.

il me (nous) semble que

me (nous) semble-t-il

il me (nous) paraît que

Exemple : *Je pense que la mer est très polluée. (sembler)*
→ *Il me semble que la mer est très polluée.*
→ *La mer est très polluée, me semble-t-il.*

a. Je pense que la pollution est le plus grand danger pour l'humanité. (sembler)
→ ....
→ ....

b. Je crois que la drogue est un des risques les plus redoutables. (paraître)
→ ....
→ ....

c. Nous considérons que les centrales nucléaires constituent une menace pour la santé de toute la population. (sembler)
→ ....
→ ....

d. J'ai l'impression que le mouvement écologiste a pris plus d'importance que les partis politiques traditionnels. (paraître)
→ ....
→ ....

il vaut (vaudrait) mieux + infinitif
il vaut (vaudrait) mieux que + subjonctif
il suffit (suffirait) de + infinitif
il suffit (suffirait) que + subjonctif
il convient (conviendrait) de + infinitif
il convient (conviendrait) que + subjonctif

13. Exprimez un conseil selon le modèle.

Exemple : *Il vaut mieux protéger la nature. (nous)*
→ Il vaut mieux que nous protégions la nature.

a. Il vaut mieux préserver les ressources naturelles. (vous)
→ ....

b. Vaudrait-il mieux se mettre à analyser les perspectives d'un développement durable ? (l'entreprise)
→ ....

c. Il suffit d'établir une gamme de possibilités. (on)
→ ....

d. Il ne suffirait pas de prendre des mesures urgentes. (nous)
→ ....

e. Il conviendrait de construire un monde plus simple. (la génération future)
→ ....

f. Ne convient-il pas de réaffirmer le sens de la vie ? (nous)
→ ....

14. Utilisez la forme passive.

Exemple : *On découvre des négligences graves.*
→ Des négligences graves sont découvertes.

On a découvert des négligences graves.
→ Des négligences graves ont été découvertes.

On ne prend pas de décision nouvelle.
→ Aucune décision nouvelle n'est prise.

On n'a pas pris de décision nouvelle.
→ Aucune décision nouvelle n'a été prise.

a. On perçoit une divergence profonde entre les négociateurs.
→ ....

b. On choisit des solutions réactionnaires.
→ ....

c. On ne signe pas de traité d'amitié.
→ ....

d. On ne constate pas d'échec important.
→ ....

e. On a rendu publiques les nouvelles propositions.
→ ....

f. On a vivement critiqué les conclusions du rapport.
→ ....

g. On n'a pas remis le rapport au ministre.
→ ....

h. On n'a pas bien accueilli la composition du nouveau gouvernement.
→ ....

15. Réunissez les éléments de chaque colonne pour faire une phrase.

Exemple : *a → 4 : Si certains affirment vouloir des réformes, d'autres ne veulent rien changer.*

a. Si certains affirment vouloir des réformes	*1.* selon les autres un vote n'est pas nécessaire.
b. Selon les uns, un vote est indispensable	2. il s'agit d'une catastrophe mondiale.
c. Grâce aux explications fournies	3. on estime que la République est menacée dans ses valeurs essentielles.
d. À l'évidence	4. d'autres ne veulent rien changer.
e. Selon une série d'accords	5. on apprend que les travaux du Parlement sont paralysés.
f. Si l'on s'en tient aux chiffres	6. que les dégâts seront évalués à environ un milliard de francs.
g. D'après diverses sources de renseignements	7. les résultats reflètent une prise de conscience collective.
h. De sources dignes de foi	8. que le gouvernement fera face à ses responsabilités.
i. Les indications fournies laissent penser	9. il apparaît que la paix sera rétablie.
j. Les événements permettent de penser	*10.* on pourrait conclure que l'inflation continue à grimper.

a. ... *b.* ... *c.* ... *d.* ... *e.* ... *f.* ... *g.* ... *h.* ... *i.* ... *j.* ...

MISE EN PLACE

1. Réactions diverses.

Réagissez aux affirmations suivantes en utilisant une expression de probabilité ou de possibilité ou une construction impersonnelle qui exprime une réaction nuancée.

a. La terre est en train de mourir.
→ ....

b. Il faut que la terre continue à nourrir les générations futures.
→ ....

c. Les savants ont les moyens de trouver des remèdes à la pollution de la terre.
→ ....

d. L'énergie solaire est une solution pour beaucoup de pays.
→ ....

e. Les détritus ne doivent pas être rejetés à la mer.
→ ....

f. Jeter n'importe quoi n'importe où devrait attirer des amendes sévères.
→ ....

g. Les usines doivent subir des contrôles réguliers pour diminuer le gaz carbonique qui provoque le réchauffement de la terre.
→ ....

h. Il faut diminuer le surcroît de production des objets inutiles.
→ ....

2. Le pour et le contre.

Dressez d'abord une liste de cinq affirmations sur l'écologie. Ensuite, pour chacune, imaginez ce que dirait une personne qui a une opinion opposée. Enfin vous répondrez à chaque idée émise par cette personne en utilisant une expression de doute, de probabilité ou de possibilité.

1. → ....
→ ....

2. → ....
→ ....

3. → ....
→ ....

4. → ....
→ ....

5. → ....
→ ....

Raconter le passé

FAÇONS DE DIRE

- *Démontrer*
- *Illustrer*
- *Varier la construction de la phrase : la nominalisation*

GRAMMAIRE

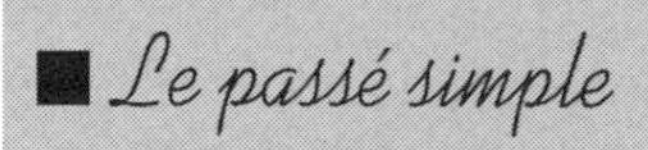

- *Le passé simple*

MISE EN PLACE

- *Raconter un souvenir*
- *La vie de Christophe Colomb*
- *Raconter un événement historique*

1. Démontrez, preuves à l'appui, que vous avez raison.

Discussion au Café du commerce sur les mérites de l'architecture moderne.

– Il ne fait pas de doute qu'une capitale doit donner l'image d'une ville dynamique, fière de son passé mais aussi tournée vers l'avenir. Par conséquent, elle doit être audacieuse dans ses projets architecturaux. Il en résulte qu'elle fait souvent appel à des architectes prestigieux.

– Voilà pourquoi Paris a construit le Centre Pompidou, la pyramide du Louvre, la Grande arche... malgré l'opposition des Parisiens, parfois.

– Cela prouve que les gens n'aiment pas le changement, c'est tout.

– Et puis après, ils s'habituent, et peut-être même finissent-ils par trouver cela beau !

– Ces arguments montrent bien qu'il ne faut pas trop tenir compte de leur avis en matière d'architecture. Je donnerai comme preuve l'exemple de la tour Eiffel, si décriée au moment de sa construction et qui est devenue aujourd'hui le symbole même de Paris !

a. Retrouvez dans le texte ci-dessus certaines des expressions de la liste suivante qui vous permettent d'affirmer vos idées.

Par conséquent ; de sorte que + indicatif ; pour ces raisons ; voilà pourquoi ; il en résulte, ressort que ; il ne fait pas de doute que, il est certain, incontestable que ; comme preuve ; pour plus de preuves ; j'ai des preuves de ; cela prouve, montre, atteste bien, clairement, incontestablement que ; ces arguments révèlent, mettent en évidence, font apparaître le bien-fondé de, le fait que, la preuve que ; tout le prouve : d'abord... ensuite... enfin...

b. Refaites le dialogue en prenant dans la liste des expressions équivalentes.

– ....

– ....

– ....

– ....

– ....

c. Imaginez à votre tour une discussion sur la nécessité de construire une grande salle de spectacle moderne ; une nouvelle bibliothèque ; un stade. Choisissez parmi les expressions ci-dessus.

2. Pour souligner la vérité de ce que vous dites, donnez un exemple.

Les mots « exemple », « cas », « illustration/illustrer », sont les plus usuels. Quand on cite d'abord l'exemple, la construction est la suivante :

[...] en est un bon exemple.

[...] nous en fournit une parfaite illustration.

L'exemple de [...] nous confirme que...
[...]. Ces cas ne font qu'illustrer...

Donnez une série d'exemples illustrant la qualité de la vie dans une ville, une région ou un pays que vous aimez. Utilisez les expressions indiquées.

Par exemple ; prenons comme exemple le cas de ; en voici une illustration ; ceci illustre cela ; un autre exemple nous est fourni par ; je voudrais, à titre d'exemple, citer le cas de ; permettez-moi de vous rappeler le cas de.

....

....

....

....

....

....

3. Variez la construction de la phrase.

Au lieu d'utiliser toujours le verbe, on peut utiliser de temps en temps le substantif correspondant. Transformez chaque phrase selon l'exemple.

Exemple : *Vous demandez qu'on publie le rapport.*
→ *Vous demandez la publication du rapport.*

a. Vous réclamez qu'on annule le rendez-vous. → ....
b. Nous demandons qu'on confirme la réunion. →..
c. J'exige qu'on répare l'appareil. →...
d. Vous conseillez qu'on réserve les places. → ....
e. Ils acceptent qu'on augmente les salaires. → ....
f. Elles signalent qu'on réduit les prix. → ....
g. Nous apprécions qu'on baisse les tarifs. → ....
h. J'accepte qu'on annonce le résultat. → ....

Exemple : *On commande les meubles. C'est prêt.*
→ *La commande des meubles est prête.*

i. On achète l'entreprise. C'est décidé. → ....
j. On vend l'usine. C'est impossible. → ....
k. On additionne les chiffres. C'est long. → ....
l. On garantit les conditions. C'est obligatoire. → ....
m. On paie la facture. C'est urgent. → ....
n. On rembourse les coûts. C'est nécessaire. → ....
o. On envoie les échantillons. C'est prévu. → ....
p. On livre les produits. C'est compris dans le prix. → ....

LE PASSÉ SIMPLE

DONNER	je donnai tu donnas il/elle/on donna nous donnâmes vous donnâtes ils/elles donnèrent
COMMENCER	il/elle/on commença ils/elles commencèrent
MANGER	il/elle/on mangea ils/elles mangèrent
FINIR	il/elle/on finit ils/elles finirent
SORTIR	il/elle/on sortit ils/elles sortirent
ATTENDRE	il/elle/on attendit ils/elles attendirent

1. Faites des phrases au passé simple.

Exemple : *Henri IV (aimer) aima les gens du peuple.*

a. En 1346, la guerre (éclater) .... entre les Français et les Anglais.
b. Des messagers (apporter) .... des nouvelles de la bataille.
c. Saint Louis (s'occuper) .... des gens pauvres et malades.
d. Les Normands (réussir) .... à vaincre les Gaulois.
e. Du temps des Croisades, les gens (partir) .... par milliers vers Jérusalem.
f. Les Francs (s'établir) .... dans les régions au nord de la Gaule.
g. Le chevalier Noir (attendre) .... son adversaire de pied ferme.
h. Les bourgeois de Calais (défendre) .... leur ville contre les Anglais.

2. Faites des phrases au passé simple.

Exemple : *Les gardes ont donné l'alarme.*
→ *Les gardes donnèrent l'alarme.*
Les gardes se sont révoltés.
→ *Les gardes se révoltèrent.*

a. Les Romains ont envahi la Gaule.
→ ....
b. Les Gaulois se sont unis pour chasser les Romains.
→ ....
c. Vercingétorix s'est déclaré leur chef et a remporté quelques victoires.
→ ....
d. L'armée de César a encerclé Vercingétorix et ses guerriers dans la ville d'Alésia. Les Gaulois ont manqué de nourriture.
→ ....
e. Vercingétorix est monté sur son plus beau cheval et s'est présenté devant César. Il a jeté ses armes à terre et s'est constitué prisonnier.
→ ....

3. Faites des phrases négatives au passé simple.

Exemple : *Les gardes n'ont pas donné l'alarme.*
→ *Les gardes ne donnèrent pas l'alarme.*
Les gardes ne se sont pas révoltés.
→ *Les gardes ne se révoltèrent pas.*

a. Ils n'ont pas osé attaquer le château fort.
→ ....
b. Il n'a pas dormi longtemps.
→ ....

c. Il n'a pas perdu la bataille.
→ ....
d. Ils n'ont pas démoli les fortifications.
→ ....
e. Ils ne sont pas repartis victorieux.
→ ....
f. Ils ne se sont pas arrêtés dans la vallée.
→ ....
g. Il ne l'a pas choisi comme successeur.
→ ....
h. Il ne leur a jamais obéi.
→ ....
i. Ils n'ont rien trouvé et n'ont rencontré personne.
→ ....

4. Faites des phrases au passé simple avec *avoir*.

AVOIR

j'eus
tu eus
il/elle/on eut
nous eûmes
vous eûtes
ils/elles eurent

Exemple : *Henri IV (avoir) eut l'idée de devenir catholique.*

a. Sainte Geneviève de Paris (avoir) .... le courage de poursuivre ses œuvres charitables pendant le siège de Paris.
b. En 1783 les Parisiens (avoir) .... la surprise de voir les frères Montgolfier survoler leur ville en ballon.
c. Louis Pasteur (avoir) .... du succès dans son travail sur la vaccination.
d. Leurs découvertes (avoir) .... une influence primordiale sur la génération d'avant-guerre.

Exemple : *Soudain ils ont eu peur.*
→ *Soudain ils eurent peur.*

e. Les guerres de religion ont eu lieu au XVIe siècle.
→ ....
f. Il n'a pas eu le courage de continuer.
→ ....
g. Ils n'ont rien eu à manger.
→ ....
h. Ils n'ont jamais eu le temps de renforcer les barricades.
→ ....

5. Faites des phrases au passé simple avec *être*.

ÊTRE

je fus
tu fus
il/elle/on fut
nous fûmes
vous fûtes
ils/elles furent

Exemple : *Napoléon Bonaparte (être) fut l'empereur des Français à partir de 1804.*

a. Clovis (être) .... un roi fort, brave et rusé.
b. En six ans, les Romains (être) .... les maîtres de la Gaule.
c. Les jongleurs du Moyen Âge (être) .... renommés pour leur audace.
d. Daumier (être) .... un peintre et un dessinateur du XIXe siècle.

Exemple : *La ville a été occupée par les conquérants.*
→ La ville fut occupée par les conquérants.

e. Le pays a été envahi par l'armée du roi.
→ ....

f. Les blessés n'ont pas été transportés par des brancardiers.
→ ....

g. Le commerce a été encouragé par Colbert.
→ ....

h. Les prisonniers politiques n'ont jamais été amnistiés par le nouveau Président.
→ ....

6. Faites des phrases au passé simple.

Exemple : *Le cardinal de Richelieu (aller) alla parfois en personne sur les champs de bataille.*

a. Charlemagne (aller) .... lui-même visiter l'école de son palais.
b. Vincent de Paul (voir) .... avec pitié la souffrance des pauvres dans les rues de Paris.
c. Au IXe siècle la Normandie (devenir) .... l'une des plus riches provinces de France.
d. En 885 les Normands (mettre) .... le siège devant la ville de Paris.
e. En 1412 Jeanne d'Arc (naître) .... à Domrémy.
f. Bayard, « le Chevalier sans peur et sans reproche », (vivre) .... de 1475 à 1524.
g. François Ier (faire) .... construire le château de Chambord.
h. Les Parisiens (prendre) .... la Bastille après quatre heures de combat.
i. Louis XVI (s'apercevoir) .... de la colère du peuple.
j. Marie-Antoinette (mourir) .... dignement sous la guillotine.
k. Les Grenadiers de la Grande Armée (suivre) .... leur « Petit Tondu » avec une loyauté totale.
l. Les conseillers ne (dire) .... pas au roi la vérité sur le complot.
m. Il (croire) .... entendre l'explosion d'une grenade et (devoir) .... se protéger.
n. Sa fiancée lui (écrire) .... sa dernière lettre le 14 septembre 1944.
o. Elle ne (savoir) .... jamais comment il (mourir) ....

VERBES IRRÉGULIERS

(s')apercevoir	il/elle/on aperçut ils/elles aperçurent
croire	il/elle/on crut ils/elles crurent
dire	il/elle/on dit ils/elles dirent
devoir	il/elle/on dut ils/elles durent
écrire	il/elle/on écrivit ils/elles écrivirent
faire	il/elle/on fit ils/elles firent
mettre	il/elle/on mit ils/elles mirent
mourir	il/elle/on mourut ils/elles moururent
naître	il/elle/on naquit ils/elles naquirent
prendre	il/elle/on prit ils/elles prirent
recevoir	il/elle/on reçut ils/elles reçurent
savoir	il/elle/on sut ils/elles surent
suivre	il/elle/on suivit ils/elles suivirent
venir	il/elle/on vint ils/elles vinrent
voir	il/elle/on vit ils/elles virent
vivre	il/elle/on vécut ils/elles vécurent

7. Mettez au passé simple les verbes au passé composé.

Exemple : *À la mort de Henri IV, sa femme, Marie de Médicis, a assuré la régence.*
→ À la mort de Henri IV, sa femme, Marie de Médicis, assura la régence.

a. Les grands seigneurs ont profité de la mort de Henri IV pour rejeter l'autorité royale.
→ ....

b. Devenu ministre, Richelieu a fait démolir leurs châteaux forts.
→ ....

c. Il a interdit aux nobles de se battre en duel.
→ ....

d. Deux jeunes nobles se sont moqués de lui et sont venus se battre devant son palais.
→ ....

e. Richelieu les a condamnés à avoir la tête coupée.
→ ....

f. Les seigneurs ont compris cet avertissement et n'ont plus désobéi au ministre puissant.
→ ....

g. Richelieu a lui-même dirigé le siège de La Rochelle, capitale des protestants.
→ ....

h. Il a empêché la livraison de provisions par mer.
→ ....

i. Le siège s'est prolongé près d'un an.
→ ....

j. Des milliers de protestants sont morts de faim.
→ ....

k. Les protestants se sont rendus et Richelieu a ordonné la destruction des fortifications.
→ ....

l. Cette victoire a été décisive.
→ ....

m. Louis XIII est enfin devenu maître dans son royaume.
→ ....

8. Récit de la Deuxième Guerre mondiale. Mettez les verbes au passé simple.

a. En 1940 l'armée allemande (pénétrer) .... en France.
b. Les Allemands (écraser) .... les troupes françaises.
c. L'aviation allemande (bombarder) .... les villes et les villages.
d. Soldats et civils (se sauver) .... devant l'envahisseur.
e. La France (demander) .... la paix.
f. Les Allemands (s'établir) .... à Paris.
g. Les habitants des villes (avoir) .... souvent faim.
h. Les jeunes gens (devoir) .... travailler dans les usines allemandes.
i. La France (connaître) .... une grande détresse.
j. Le Général de Gaulle (se rendre) .... à Londres.
k. Grâce à ses émissions à la radio, il (rassembler) .... le peuple français.
l. Les Français (commencer) .... des mouvements de résistance.
m. Les résistants (être) .... de plus en plus nombreux.
n. En 1944 les Allemands (connaître) .... à leur tour la défaite.

o. À l'est de l'Europe les armées soviétiques (écraser) .... les troupes allemandes.

p. En 1944 les Anglais et les Américains (débarquer) .... en Normandie.

q. L'ennemi (devoir) .... reculer devant cette offensive.

r. La nuit du 24 au 25 août, Paris (accueillir) .... avec joie les chars français de la division du Général Leclerc.

9. Extraits de contes de fées.

Complétez avec les verbes indiqués que vous mettrez au passé simple.

a. **Le Petit Chaperon rouge**

S'en aller ; arriver ; ramasser ; dire ; cueillir.

La petite fille .... par le chemin le plus long. Elle .... des fleurs, elle .... des noisettes, elle .... bonjour aux lapins. Le loup .... le premier chez la grand-mère.

b. **Cendrillon**

Devenir ; prendre ; mettre.

Elle .... le soulier de verre et elle le .... à son pied devant les yeux étonnés de ses deux sœurs. C'est ainsi qu'elle .... la princesse de son pays.

c. **La Belle au Bois Dormant**

Entrer ; s'éveiller ; voir ; s'approcher ; se mettre ; découvrir.

Le prince .... dans le château. Il .... plusieurs chambres pleines de gentilshommes et de dames tous endormis. Il .... enfin la belle princesse endormie. Il .... d'elle et .... à genoux auprès d'elle. Alors, la princesse ....

d. **Le Chat botté**

Repartir ; se lever ; recevoir ; prendre ; fermer.

Quand le chat .... sa récompense du maître, il .... bravement, il .... son sac, le .... avec ses deux pattes de devant, et .... sur les routes.

10. Le passé composé ou le passé simple ?

Écrivez les verbes au passé simple ou au passé composé selon le modèle.

Exemple : *Il (écrire) : « Je (rédiger) un petit conte. »*
→ Il écrivit : « J'ai rédigé un petit conte. »

« Le jour où Thomasine (revenir) .... chez elle, on (commencer) .... à lui poser des questions à propos de ses aventures.

– Où est-ce que tu (aller) .... ? (demander) .... un de ses frères.

– Qu'est-ce que tu (faire) .... ? (ajouter) .... sa sœur.

– Qu'est-ce que tu (voir) .... ? (dire) .... son père.

La mère de Thomasine (rester) .... silencieuse un moment, puis elle (poser) .... une question :

– Pourquoi est-ce que tu (ne pas écrire) .... ?

– Je (ne pas avoir) .... le temps, (déclarer) .... la fillette.

– Tu (devoir) .... voir beaucoup de belles choses, (dire) .... les enfants ensemble. Raconte !

– Oui, en effet (répondre) .... Thomasine. Mais ce soir je suis fatiguée. Demain !

Cependant ses frères et ses sœurs (refuser) .... d'attendre, et Thomasine (raconter) .... son aventure. »

11. L'imparfait ou le passé simple ? Réécrivez le texte au passé.

« Cet été-là, ma famille et moi nous passons nos vacances au bord de la mer, comme d'habitude. Le matin, nous partons pour la plage qui se trouve juste devant la maison que nous louons. Un jour, nous décidons d'aller à la pêche aux crabes. Nous prenons un panier, nous nous dirigeons vers les rochers que la mer découvre complètement quand elle est basse, comme ce matin-là, et nous commençons notre pêche. Nous sommes si absorbés par notre tâche que nous ne nous rendons pas compte à quel point nous nous éloignons du rivage. Soudain, nous voyons que la mer est en train de remonter, et que nous ne pouvons déjà plus regagner la plage. Alors nous nous mettons à crier, nous appelons à l'aide. Heureusement, un pêcheur nous entend et vient nous sauver avec sa barque. Après cette aventure, le reste des vacances se passe tranquillement sur la plage. »

....

....

....

....

....

12. Rapportez une conversation. Utilisez le passé simple, le passé composé, l'imparfait ou le présent.

Exemple : *« Je (regarder) la télé hier soir », il (annoncer).*
→ « J'ai regardé la télé hier soir », annonça-t-il.

a. « Je (voir) un documentaire extraordinaire sur FR3 », il (dire).
→ ....

b. « Oui, je (entendre) un commentateur en parler ce matin à la radio », elle (répondre).
→ ....

c. « Est-ce que vous l'(regarder) ? » il (demander).
→ ....

d. « Pas entièrement, je (ne pas se sentir) très en forme », elle (répondre).
→ ....

e. « Rien de grave, j'(espérer) ? » il (se rassurer).
→ ....

f. « Non, c'(être) un petit malaise qui m'(empêcher) de voir tout le film », elle (soupirer).
→ ....

g. « Quelle partie est-ce que vous (voir) ? » il (reprendre).

→ ....

h. « Je (rater) le milieu du film », elle (se lamenter).

→ ....

i. « Quelle (être) votre impression générale ? » il (répéter).

→ ....

j. « Je (ne pas comprendre) très bien la fin », elle (répliquer).

→ ....

k. « En effet c'(être) difficile de comprendre sans avoir vu le milieu », il (conclure).

→ ....

MISE EN PLACE

1. Racontez un souvenir.

Le passage suivant est tiré de l'autobiographie de Simone de Beauvoir.

« Au mois d'octobre 1913 — j'avais cinq ans et demi — on décida de me faire entrer dans un cours au nom alléchant : le cours Désir. La directrice des classes élémentaires, Mlle Fayet, me reçut dans un cabinet solennel, aux portières capitonnées. Tout en parlant avec maman, elle me caressait les cheveux. « Nous ne sommes pas des institutrices, mais des éducatrices », expliquait-elle. Elle portait une guimpe montante, une jupe longue et me parut trop onctueuse : j'aimais ce qui résistait un peu.

Cependant, la veille de la première classe je sautai de joie dans l'antichambre : "Demain, je vais au cours !" "Ça ne vous amusera pas toujours", me dit Louise. Pour une fois elle se trompait, j'en étais sûre. L'idée d'entrer en possession d'une vie à moi m'enivrait. Jusqu'alors, j'avais grandi en marge des adultes ; désormais j'aurais mon cartable, mes livres, mes cahiers, mes tâches ; ma semaine et mes journées se découperaient selon mes propres horaires ; j'entrevoyais un avenir qui, au lieu de me séparer de moi-même, se déposerait dans ma mémoire ; d'année en année je m'enrichirais, tout en demeurant fidèlement cette écolière dont je célébrais en cet instant la naissance. »

Mémoires d'une jeune fille rangée, Gallimard.

a. Classez les verbes selon leur temps.

Le passé-simple ....

....

L'imparfait ....

....

Le présent ....

....

Le futur ....

....

Le plus-que-parfait ....

....

Le conditionnel ....

....

b. Racontez votre premier jour à l'école.

....

....

....

....

....

2. La vie de Christophe Colomb.

En 1492 Christophe Colomb découvrit l'Amérique.
Racontez la vie de Christophe Colomb. Mettez les verbes au passé simple.

Chronologie

1451	Naissance de Christophe Colomb à Gènes.
1466-1468	Premières navigations de Colomb.
1476-1477	Colomb va au cap Saint-Vincent, en Irlande et en Islande
1481	Jean II devient roi du Portugal.
1483-1484	Jean II refuse le projet de voyage de Colomb.
1487	La Reine Isabelle refuse de nouveau d'accepter le projet de Colomb.
1489	Colomb offre en vain ses services à l'Angleterre et à la France.
1492	Martin Behaim fabrique à Nuremberg le premier globe terrestre.
3 août	Colomb part de Palos.
12 octobre	Découverte de l'Amérique. Colomb débarque sur l'île de Guanahani, aux Bahamas.
1493 5 mars	Retour de Colomb à Palos.
31 mars	Entrée triomphale de Colomb à Séville.
25 septembre	Départ de Colomb de Cadix pour son deuxième voyage. Il fonde la ville d'Isabela, le fort Saint-Thomas et explore la Jamaïque et le littoral sud de Cuba.
1496	Retour de Colomb à Cadix.
1497	Troisième voyage de Colomb : il découvre la terre ferme à l'embouchure de l'Orénoque.
1501	Colomb rédige *le Livre des prophéties*.
1502	Quatrième voyage de Colomb. Départ de Cadix.
	Arrivée au Honduras, puis à Cuba. Naufrage à la Jamaïque. Il regagne Hispaniola puis l'Espagne en 1504.
1506	Mort de Christophe Colomb à Séville.

....

....

....

....

....

....

3. Racontez un événement historique.

Choisissez parmi ces expressions de temps.

au début du / de la / de l'	(siècle, décennie, époque)
à la fin du / de la	(règne, présidence)
avant le / la	(passage de, traversée de)
après le / la	(massacre, assassinat, naissance, mort)
pendant le / la	(combat, bataille)
à la suite du / de la	(conflit, guerre)
en	(août 1914)
en ce temps-là	
il y a (très) longtemps	
un jour, un mois, un an (plus tard)	
beaucoup plus tard	
longtemps après la mort de	
peu de temps après la mort de	
jusqu'à l'arrivée de	
depuis plus de ... ans	

....

....

....

....

....

....

UNITÉ 8

Écrivez dans le style indirect.

1. Il leur a dit : « Écrivez ! »
→ ....

2. Il nous a répété : « Venez de bonne heure ! »
→ ....

3. « Pars vite ! » t'a-t-il recommandé.
→ ....

4. « Sors un peu plus souvent » lui a-t-il conseillé.
→ ....

5. Il leur a ordonné : « Attendez-moi devant la mairie. »
→ ....

6. « Ne recommence pas ! » a dit votre mère.
→ ....

7. « Ne restez pas trop longtemps », a conseillé l'infirmière.
→ ....

8. Elle a demandé : « Quand rentres-tu de vacances ? »
→ ....

9. Il m'avait demandé : « Pourquoi n'avez-vous pas téléphoné ? »
→ ....

10. « Veux-tu faire les courses ? » lui a-t-il demandé.
→ ....

11. « Qu'est-ce qu'on attend ? » lui a-t-il demandé.
→ ....

12. « Qu'est-ce que tu fais ici ? » ont-ils voulu savoir.
→ ....

13. « Est-ce que vous êtes prêtes ? » a-t-elle voulu savoir.
→ ....

14. Il m'a dit : « Ils sont allés à Toulouse le mois dernier. »
→ ....

15. Elle leur a dit : « Je rentrerai vers 9 heures, si tout va bien. »
→ ....

16. Il m'a raconté : « Il y a moins de touristes qu'avant. »
→ ....

17. On nous a affirmé : « Il a fait beau hier soir. »
→ ....

18. Ils m'ont déclaré : « On va vous parler d'un projet demain. »
→ ....

19. Elle m'a dit : « J'ai été très malade. »

→ ....

20. Tu m'as déclaré : « J'aurais aimé être à ta place. »

→ ....

21. Il m'avait annoncé : « Je vous enverrai le courrier demain. »

→ ....

22. Ils t'ont dit : « Nous allons gagner 1 000 francs aujourd'hui. »

→ ....

23. Vous m'avez affirmé : « Elles sont parties il y a trois jours. »

→ ....

24. On a répondu : « On vient de voir le défilé. »

→ ....

25. Il a écrit : « Les marchandises sont bien arrivées avant-hier. »

→ ....

UNITÉ 9

Réécrivez chaque phrase pour exprimer le doute.

26. Nous sommes certains qu'il fera mieux la prochaine fois.

→ ....

27. On est sûr du résultat du vote.

→ ....

28. Vous êtes persuadés que nous connaîtrons la réponse bientôt.

→ ....

29. Ils croient que tu peux gagner.

→ ....

30. Je pense que tu as raison.

→ ....

31. Il est évident qu'il y aura un fort taux d'abstention.

→ ....

32. Il est vrai que cet athlète est le meilleur de sa catégorie.

→ ....

33. Il est prouvé que le candidat dit la vérité.

→ ....

Complétez les phrases. Mettez une croix dans la colonne appropriée.

	il défend l'environnement	il défendra l'environnement	il défende l'environnement	de défendre l'environnement
34. Nous sommes convaincus que	....	....	....	....
35. Certainement	....	....	....	....
36. Sans aucun doute	....	....	....	....
37. Nous avons l'impression que	....	....	....	....
38. Il est probable que	....	....	....	....
39. Il est possible que	....	....	....	....
40. Il se pourrait que	....	....	....	....
41. Il est certain	....	....	....	....
42. Il est peu probable que	....	....	....	....
43. Nous ne sommes pas sûrs	....	....	....	....
44. Il n'est pas impossible que	....	....	....	....
45. Il est impossible que	....	....	....	....

UNITÉ 10

Écrivez ces phrases au passé simple.

46. Une guerre a éclaté entre le roi de France Philippe VI et le roi d'Angleterre Édouard III.
→ ....

47. La bataille de Crécy a été un désastre pour les seigneurs français.
→ ....

48. Les seigneurs français, braves mais indisciplinés, ont perdu la bataille.
→ ....

49. Cette bataille a marqué le début de la guerre de Cent Ans.
→ ....

50. Impatients de se battre, ils ont attaqué furieusement, sans ordre.
→ ....

51. L'armée anglaise s'est rangée sur la colline en face derrière un fossé.
→ ....

52. Les chevaliers français sont arrivés devant le camp anglais.
→ ....

53. Les soldats ont reçu l'ordre de descendre la colline.
→ ....

54. En 1944 les forces alliées ont débarqué en Normandie.
→ ....

55. De nombreux combattants sont morts pendant la bataille.
→ ....

56. La même année Paris a attendu l'arrivée des forces de libération.
→ ....

57. Les résistants sont venus les aider.
→ ....

58. Les Parisiens ont eu la joie de redécouvrir la liberté.
→ ....

59. Partout dans la ville, les gens ont fait la fête en dansant et en chantant.
→ ....

60. Les forces alliées ont ensuite réussi à libérer la France.
→ ....

61. En 1969 un événement scientifique de portée historique a eu lieu.
→ ....

62. On a vu l'arrivée des hommes sur la lune.
→ ....

63. Neil Armstrong est descendu le premier du satellite.
→ ....

64. Les gens ont regardé ce moment sur les écrans de télévision.
→ ....

65. On n'a pas pris la mesure des difficultés rencontrées par les astronautes après cet exploit qui a émerveillé le monde entier.
→ ....

➤ *Maintenant, regardez les réponses dans les* **Corrigés**, *comptez le nombre de vos réponses correctes et faites l'addition :* $\frac{\quad}{65}$

Imprimé en France, par l'imprimerie Hérissey à Évreux (Eure) - N° 94498
Dépôt légal N° 33184-04/2003 — Collection N° 23 - Édition N° 05
15/4870/0